НАСЛАЖДЕНИЕ

Сандра Браун

Тайный БРАК

РОМАН

МОСКВА
ИЗДАТЕЛЬСТВО «ЭКСМО-ПРЕСС»
2002 ГОД

УДК 820(73)
ББК 84(7США)
Б 87

Sandra BROWN

IN A CLASS BY ITSELF

Перевод с английского *Э. Коновалова*

Серийное оформление художника *С. Курбатова*

Серия основана в 1996 году

Браун С.
Б 87   Тайный брак: Роман / Пер. с англ. Э. Коновалова. —
М.: Изд-во ЭКСМО-Пресс, 2002. — 320 с. (Серия «На-
слаждение»).

ISBN 5-04-009938-X

Сразу после окончания школы Дэни и Логан тайно поженились, но
родители девушки разлучили их, разорвав их брак. И вот десять лет спустя
Дэни вновь приезжает в тот городок, где навсегда похоронила надежды на
счастье. Она думает, что все в прошлом, но Логан не сдался. За эти годы
он стал богатым, влиятельным человеком, привыкшим добиваться своего.
Теперь он намерен добиться Дэни — любой ценой. Ведь первой брачной
ночи с любимой ему пришлось ждать целых десять лет.

УДК 820(73)
ББК 84(7США)

ISBN 5-04-009938-X

1

ЭНИ   почувствовала
нервный озноб.

— Да ведь это просто
смешно!.. Надо взять
себя в руки, — пробормотала она. К сожалению, чуда не произошло — дрожь не проходила. Если человек начинает разговаривать сам с
собой, стало быть, дела его плохи.

Вспотевшие ладони дрожали, когда она за-
крывала дверцу машины. Сунув под мышку сумочку, провела влажной трясущейся рукой по
золотистым волосам, собранным на затылке в
тугой узел. Если бы можно было так же просто
стянуть в узел нервы...

Глубоко вздохнув, Дэни направилась к зданию, из окон которого доносилась музыка,
весьма популярная десять лет тому назад. Она
миновала дверь, распахнутую настежь, чтобы
не создавалось толчеи, и словно бы мягко натолкнулась на басовый ритм знакомой мело-
дии. В глаза ударили блики от вращающегося

под потолком освещенного прожекторами шара. Слышались взрывы смеха и обрывки громких разговоров. Атмосфера веселья подействовала на нее успокаивающе, хотя еще некоторое время она продолжала в нерешительности стоять неподалеку от входа.

— Дэни! Господи, да ведь это Дэни! Дэни Куинн!

Женщина, сидевшая за регистрационным столом, сорвалась со стула, обогнула стол и крепко обняла Дэни, прижав ее к своей груди, которая, кажется, стала еще больше, чем десять лет назад. В те давние времена эта грудь была предметом зависти всех девчонок класса... да что там класса — всей школы!

Обладательница могучего бюста отстранила Дэни и оценивающе оглядела ее с головы до ног. На живом, подвижном лице женщины появилась гримаса, выражающая крайнее удивление.

— Господи, кошмар какой-то! Ты не набрала ни одного фунта за эти десять лет! Выглядишь великолепно! Просто потрясающе!

Дэни засмеялась:

— Привет, Картошка... то есть Ребекка!

— Как и прежде — Картошка! — хохотнула дама.

— Ты хочешь сказать, что до сих пор любишь жареную картошку?

Женщина хлопнула себя по пышным ляжкам, которые за десять лет увеличились чуть ли не вдвое.

— А разве не видно?

Они снова рассмеялись и обнялись.

— Ты не меняешься, Картошка! Как приятно снова тебя видеть!

— И тебя тоже... Хоть мы постоянно видим твои фото в далласских газетах... Я рассчитывала обнаружить приметы возраста или предательские шрамы. — И снова внимательно вгляделась в лицо Дэни. — Никаких подтяжек... Красивая, молодая, черт возьми! Держись подальше от Джерри, — ворчливо заключила она.

— Вы до сих пор женаты?

— Как же, конечно! Кто еще способен меня выдержать?

Джерри и Картошка дружили начиная со второго класса средней школы. Было чему позавидовать.

— Как насчет детей?

— Четверо... Все разбойники! Но сегодня вечером они с няней, и я на несколько благословенных часов отключилась от них и намерена как следует клюкнуть и повеселиться. —

Она повернулась к столу. — Вот твой личный номерок, самая красивая девочка в классе!

— Спасибо.

Картошка сдернула облатку с клеящейся стороны номерка и по-матерински заботливо и аккуратно прикрепила его к лифу шелкового платья подруги.

— По сравнению с тобой мы выглядим провинциалками, Дэни. Взять хотя бы это платье! — Она окинула взглядом стройную фигурку Дэни, остановила взор на плетеном пояске с огромной медной пряжкой, на туфлях-лодочках, цвет и материал которых гармонировали с сумочкой. — Нейман — Маркус? Ты всегда одевалась так, что нам впору было бежать домой переодеваться.

— Мне надо было надеть потрепанные джинсы?

Картошка похлопала ее по плечу.

— Дорогуша, ты и в мешковине будешь смотреться как принцесса. — Она понизила голос и наклонилась к Дэни: — Ты его еще не видела?

Дэни нервно облизала губы и отвела глаза.

— Кого?

— Ой господи, Дэни! Ты ведь знаешь кого. Конечно, Логана!

Но ведь все давно прошло!.. Она больше не

намерена снова переживать этот ужас. Впервые за много лет Дэни испугалась, когда несколько недель назад получила фотокопию письма от Картошки, в котором та извещала о предстоящей встрече одноклассников по случаю десятилетия окончания школы. Ей показалось, что все внутри ее оборвалось. Она прерывисто и неровно задышала.

— Логана? Нет, я не видела его с того времени... уже десять лет. Он собирался прийти?

— Президент нашего класса? Университетская звезда? Конечно же, придет! Он участвует во всех мероприятиях Хардуика. Столп общества! Логан даже помог мне разослать уведомления о встрече.

Дрожащей рукой Дэни дотронулась до золотого медальона с малахитом, висевшего на цепочке.

— Как он поживает? — Дэни знала, что этот безразличный тон вряд ли обманет Картошку.

— Ты хочешь спросить, как он выглядит? — Она засмеялась, на ее лице застыло плотоядное выражение. — Скажем так. Я предупредила Джерри, что в мире есть только трое мужчин, за одну ночь с которыми я рискну деся-

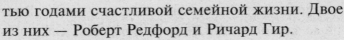

тью годами счастливой семейной жизни. Двое из них — Роберт Редфорд и Ричард Гир.

— Вот как!

— К сожалению, Логан всегда считал меня лишь добрым приятелем. — Картошка схватила Дэни за руку и подтолкнула ее в сторону толпы. — Да что это я держу тебя здесь? Иди пообщайся, возьми что-нибудь выпить! Тебя очень многие хотят видеть... А мы с тобой еще поговорим попозже.

После того как Дэни увиделась с несколькими бывшими одноклассниками, ей удалось преодолеть скованность. Атмосфера праздника захватила ее. Она знакомилась с супругами, выслушивала отчеты друзей о том, как складывалась их жизнь в последние десять лет. Известный в классе Ромео, постоянно искавший любовных приключений и еще не угомонившийся сейчас, после трех неудачных женитьб и рождения шестерых детей, сегодня опекал Дэни.

— Дэни, малышка, хочешь выпить? Назови свое пойло.

— Коку, пожалуйста, Эл.

Он вытаращил от изумления глаза:

— Наконец-то наша Дэни перестала мучиться угрызениями совести! Я слышал, что на Гринвилл-авеню в Далласе умеют ловить кайф...

Хочешь научить старых приятелей новым штучкам?

— Кока — это всего лишь кока-кола, Эл. Со льдом, пожалуйста.

— А-а, вот оно что, — разочарованно произнес он. — Да, конечно, подожди здесь минутку.

Улыбнувшись, Дэни посмотрела на избирательный бюллетень, который кто-то сунул ей в руки. В конце вечера, когда все вдоволь пообщаются друг с другом, будет вручен какой-нибудь нелепый и смешной приз самому лысому, самому изменившемуся, самому многодетному отцу и самой многодетной матери, тому, кому пришлось добираться на встречу дольше других, и так далее.

— За кого собралась голосовать?

Прошло десять лет, но она мгновенно узнала этот голос. Только теперь в нем появились густые бархатистые нотки. Когда-то этот голос сводил ее с ума. Но сейчас показался ей нереальным, словно пришел из ее снов.

Дэни подняла голову и посмотрела на Логана, чувствуя, как все внутри ее цепенеет.

Он стал еще красивее, еще притягательнее, чем прежде. Подобно листу, втянутому в водоворот, она оказалась в некой магической ауре, которая окружала его и привлекала к нему всех — и мужчин, и женщин.

Лицо, словно сошедшее со скандинавского рекламного плаката, за десять лет мало изменилось. Едва обозначившиеся паутинки возле глаз и рта делали его еще более привлекательным.

Светло-каштановые, непокорные, как всегда, волосы падали на лоб. Из-под густых темных бровей смотрели ясные голубые глаза, напоминающие летнее техасское небо. Прямой нос чуть расширялся к концу, что, по мнению многих женщин, свидетельствовало о чувственности и силе. Продолговатая ямка на подбородке показалась Дэни более глубокой, чем ей запомнилось, а сам подбородок, кажется, стал еще более квадратным, не позволяя усомниться в решительности его обладателя.

— Так за кого собралась отдать голос? — повторил Логан свой вопрос.

Ей стало жарко, в голове зашумело, словно она сделала большой глоток бренди. Все вокруг затуманилось, расплылось, и только Логана Дэни видела удивительно ясно и четко.

— Мой голос? По какому пункту?

— По пункту «Чье появление меня удивило

более всего?» — Он не улыбался. Глаза его внимательно изучали ее лицо.

— Ты думал, что я не приду?

— Да.

— Почему?

— Считал, что у тебя не хватит мужества.

Теперь он улыбнулся. Эта ленивая, насмешливая улыбка вкупе с обидными словами подействовала на нее как пощечина. Дэни была шокирована и уязвлена. Но она не успела ответить, поскольку в этот момент появился Эл и сунул ей в руки стакан, из которого выплеснулось несколько капель кока-колы ей на платье.

— Прости, Дэни. Привет, Логан.

— У тебя нет салфетки? — спросила Дэни, стряхивая с руки капли.

— Салфетки? — недоуменно переспросил Эл. — А-а, салфетки нет.

Логан как-то незаметно умудрился сунуть руку в задний карман джинсов и извлечь безупречной белизны носовой платок. Развернув его, церемонно протянул Дэни.

— Спасибо, — сдержанно сказала она, мечтая о том, чтобы у нее нашлось мужество швырнуть платок Логану в лицо. Промокнув руку, она вернула его.

— Не за что. — Логан не отрывал взгляда от ее лица, когда задавал свой вопрос: — Какую жену ты привел сегодня, Эл?

— Очень смешно, Логан. — Эл яростно глотнул виски. Судя по раскрасневшемуся лицу, это был не первый его стакан. — Боже мой, старина, знал бы ты, как мне достается! Я плачу алименты, но с меня еще дополнительно дерут три шкуры. Детям всегда нужны деньги то на танцевальные классы, то еще бог знает на что.

— И это все, что ты имеешь за свои титанические усилия по заселению восточного Техаса? — «посочувствовал» Логан.

— Да, ты верно говоришь. Трахнулся разок — и беги прочь, черт, прости, Дэни.

В этот момент ей страшно захотелось быть как можно дальше от этого места. Зачем она пришла? Похоже, будет даже хуже, чем предполагала.

— Ничего, Эл. — Улыбка получилась вымученной, Дэни подумала, что лицо ее может лопнуть от напряжения.

— Знаешь, — гнул свое Эл, — ты правильно делаешь, что остаешься холостяком. Женитьба — это вроде занозы в заднице.

— Женитьба или развод? — спросил Логан.

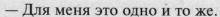

— Для меня это одно и то же.

Даже Дэни присоединилась к смеющемуся Логану, когда посмотрела на постную физиономию Эла.

— Дорогой, я умираю от жажды. — Рядом с Логаном появилась эффектная рыжеволосая дама и обняла его за талию. Другую руку она игриво положила ему на грудь.

У Дэни засосало под ложечкой. Она даже не сразу поняла, что больше всего раздражало ее в облике этой рыжей красотки, и еще раз окинула ее внимательным взглядом. Пышные рыжие волосы обрамляли капризное лицо и падали на обнаженные плечи. Белое сверкающее платье «а-ля Мерилин Монро» казалось совершенно неуместным для этого вечера. Женщина, очевидно, очень гордилась своей великолепной грудью (возможно, стоившей немалые деньги), так как полупрозрачный лиф платья практически ничего не скрывал. Особенно эффектно выделялись крупные розовые соски, что, очевидно, доставляло ей особое удовольствие, если судить по взглядам, которые она бросала в сторону мужчин. Красотка просто воплощала собой сексуальный призыв.

Логан по-хозяйски обнял рыжеволосую за голые плечи.

— Лана, это Дэни Куинн, Эла ты знаешь.

— Привет, — капризно проговорила она, затем подняла огромные глаза на Логана. — Дорогой, я страшно хочу пить.

— О'кей! — Повернувшись вместе с ней, чтобы идти, он бросил через плечо: — Увидимся с тобой попозже. — И они направились к бару.

— Черт! Этому Вебстеру всегда везло с бабами, — пробормотал Эл.

Дэни смотрела им вслед, пока парочка не исчезла в толпе. Взгляд ее был прикован к Логану. Он являл собой воплощение мужской красоты. Широкие плечи распирали накрахмаленную рубашку-ковбойку. Книзу торс сужался и переходил в узкую талию. Дэни заметила, что игривая рука Ланы скользнула по его спине и забралась под ремень. Дэни не осуждала девицу. Ей самой до смерти хотелось это сделать.

У Логана была медленная, свойственная техасцам ленивая походка, выработанная многими поколениями ковбоев. Уже она одна делала его сексуально привлекательным. Еле заметное покачивание бедер, внешне небрежная поступь и даже некоторая сутулость, за которыми скрывались сила и агрессивность, — все было притягательным и сексапильным. Джинсы на нем всегда были в обтяжку и откровенно подчеркивали все анатомические особенности тела. Они настолько красиво облегали его ягодицы и длинные крепкие ноги, что при взгляде на них останавливалось дыхание.

— Вот только одно я не могу взять в толк.

Дэни чуть вздрогнула — голос Эла вывел ее из транса, в который она погрузилась от созерцания крепких мужских ягодиц и длинных ног.

— Что ты не можешь взять в толк?

— Как это он позволил тебе вырваться?

Она чуть ли не до крови закусила губу. Однако постаралась произнести как можно более беззаботным тоном:

— Так уж решила судьба.

— Тогда, — сказал Эл, оглядевшись по сторонам, — не хочешь ли ты потанцевать со мной, Дэни?

Элу было двадцать восемь, а выглядел он лет на двадцать старше, и Дэни стало жаль его. Она знала, что сможет пережить этот уик-энд, если будет вести себя бесшабашно, поэтому лучезарно улыбнулась ему:

— Конечно. А почему бы и нет?

Директор хардуикской средней школы, возглавлявший ее десять лет назад, подошел к микрофону.

— Вы счастливы сегодня. — Он быстро отодвинулся от микрофона, когда отчаянно зафонило. Затем снова приблизился, похоронив надежды присутствующих на то, что уже закончил выступление. — Мы рады, что среди нас находятся любимцы класса Логан Вебстер и Дэни Куинн. Заканчивая свою краткую речь, я хотел бы попросить их выйти сюда и открыть следующий танец. Вашим классом можно было гордиться. Веселитесь и знайте, вам всегда рады в хардуикской средней школе.

Раздались вежливые жидкие аплодисменты на фоне звона бокалов и гула голосов. Половина присутствующих в зале уставилась на Логана; вторая половина устремила взоры на Дэни. Все ожидали дальнейшего развития событий.

До этого взрывом бурного веселья было встречено вручение призов. Выпили изрядное количество спиртного. Многие забыли о своей диете. Обсудили старые сплетни и распустили новые. Каждый веселился как мог.

Но сейчас наступил драматический момент. Все помнили, что на вечерах Логан и Дэни танцевали только друг с другом.

Дэни вдруг захотелось испариться, чтобы не переживать этих двух минут, когда будет играть пластинка, которую сейчас ставили. Она посмотрела в другой конец зала, где стоял Логан, небрежно обнимая свою рыжеволосую подругу. В другой руке он держал бутылку пива. На раскрытой ладони с шиком поднес бутылку ко рту и сделал глоток, затем, глядя на Дэни, передал недопитое пиво насупившейся Лане.

Медленным шагом хищника, который намерен слопать уже пойманную дичь, он пересек зал и остановился перед Дэни:

— Станцуем?

— Похоже, у меня нет выбора.

— Это верно. У тебя нет выбора. Все наблюдают. Негоже проявлять малодушие, даже если очень хочется.

Это был вызов — ловко замаскированный вызов, на который она не могла не ответить. Подбородок ее слегка приподнялся, в глазах сверкнула решимость. Логан заметил произошедшую в ней перемену и удовлетворенно улыбнулся. Он раскрыл руки, и она сделала шаг ему навстречу. Присутствующие зааплодировали.

— Ура, Дэни! Ура, Логан! — Дэни услышала громкий ликующий голос Картошки.

Послышались свистки и выкрики, когда Логан привлек ее к себе. Он обнимал даму так, как это делали в их юности, — обхватив обеими руками талию. Ей ничего не оставалось, как положить руки ему на плечи.

— Лана наблюдает за нами.

— Кого это волнует?

— Ее. Ты слишком тесно прижимаешь меня.

— Это медленный танец.

Дэни ощущала его дыхание на своих волосах, жар его рук, сжимающих талию. Все ее чувства вмиг взбунтовались. Казалось, ее тело рвется испытать то, что они упустили за эти долгие годы разлуки. Дэни вдруг почувствовала себя беззаботной и веселой, как десять лет назад. Во взгляде сквозило лукавство, когда она встретилась с ним глазами.

— Ты хотел, чтобы это был медленный танец?

— Да.

— Почему?

— Глупый вопрос, Дэни. — Их тела соприкасались, но Логан еще сильнее прижался к ней. — Чтобы я мог обнять тебя. Почувствовать, что в тебе изменилось.

— А ты помнишь, какой я была?

— Помню.

— И что же?

— Есть кое-какие изменения.

— Где? — игриво улыбнулась она.

— Тут и там. — Произнося это, он выразительно взглянул на ее грудь.

Улыбка ее погасла.

— О! — смущенно произнесла она. Раскатистый смешок, зародившийся в его могучей груди, отозвался в ней чувственной дрожью.

— Ты смущена?

— Ты никогда раньше так не говорил.

— Да, но тогда я был зеленый юнец с потными ладонями. Сейчас я мужчина и могу сказать вслух все, что думаю. — Он еще теснее прижал ее. — Меня восхищает твоя зрелая фигура.

— Все равно мне не угнаться за Картошкой.

Логан засмеялся:

— Бедняга Джерри! Он проживет всю жизнь, зная, что каждый парень в классе постоянно норовил пощупать его жену.

— И ты тоже?

— Что?

— Норовил пощупать.

— Я попытался, когда мы учились, кажется, в восьмом классе. Она так огрела меня по голове, что посыпались искры из глаз. После этого я больше не решался повторять попытку.

К ним присоединились другие танцующие пары, и теперь они не были на виду у всех. Оба улыбнулись, однако улыбка Логана быстро погасла.

— Ты отлично выглядишь, Дэни.

— Спасибо.

— Ты не поняла, — недовольно процедил он. — Это не дежурный комплимент. Ты красива, как и раньше... Даже более красива. И твоя зрелая красота невероятно влечет меня. — Словно желая проиллюстрировать свои слова, он еще сильнее сжал Дэни в объятиях. Их тела вжались друг в друга, ее грудь уперлась в его мощный торс.

Музыка смолкла.

Дэни попробовала было освободиться из его объятий, но он не позволил.

— Логан, музыка кончилась, — прошептала она, боясь посмотреть ему в глаза.

— Ничего, сейчас опять начнется.

— Но твоя подружка... — попыталась напомнить Дэни в тот момент, когда зазвучала мелодия следующего медленного танца.

— Она подождет.

— Ты уверен в этом?

— Нет... Просто мне наплевать, если она не станет ждать.

— Как ты можешь говорить такие вещи... — В голосе Дэни прозвучало искреннее возмущение.

Он вспыхнул:

— Она быстро найдет себе кого-нибудь еще. Ее можно взять напрокат на ночь и весело провести с ней время.

— У тебя теперь такие взаимоотношения с женщинами?

— Конечно. Приятно и без хлопот. А что я при этом теряю?

— Самоуважение.

Он хрипло засмеялся, но глаза его были невеселые.

— Я потерял самоуважение к себе давным-давно, Дэни... Когда ты...

— Пожалуйста, Логан, не надо...

Она произнесла это таким тоном, что его гнев мгновенно растаял. К тому же Дэни наклонила голову и уткнулась лбом ему в грудь. Это окончательно растрогало его. На смену гневу внезапно пришло желание никогда не выпускать ее из своих объятий, защищать и любить, о чем он всегда мечтал.

Теперь Логан с нежностью обнимал Дэни. Он посмотрел на копну ее волос — и ему страстно захотелось их поцеловать. Именно такими он их и помнил — светлые и блестящие — смесь лунного света и меда.

Как же она была хороша! Воплощенная женственность... Когда они покачивались под музыку, слышно было, как от соприкосновения с его одеждой шуршит ее платье. У него появилось искушение стащить с нее все, чтобы увидеть тело.

Он ощущал легкий, пьянящий аромат ее духов. Ему вдруг захотелось уткнуться носом в ее ушко, сжать губами бриллиантовую сережку, ощутить языком персиковую шершавость кожи... Логан едва не застонал, понимая, что не может сейчас этого сделать... ни сейчас, ни когда-нибудь потом... никогда! А он так хотел ее. Всю, без остатка!

Логан снял ее руку со своего плеча и взял в свою. Расслабленные пальцы Дэни дотронулись до мозолей на его ладони.

Она подняла на него чуть изумленный взгляд.

— Мне приходится много работать, Дэни, чтобы заработать на жизнь.

— На ферме твоих родителей?

— Не совсем. Земля та же, только... Ну да ты увидишь это завтра. Там будет пикник... У меня.

— Твои родители живут с тобой?

Он покачал головой:

— Они переехали в город и живут в небольшом доме.

— Я знаю, что ты многого добился в жизни. Я читала о тебе в «Техасских новостях».

— Прямо-таки история «от нищеты к богатству».

— Я не сомневалась, что ты всего добьешься.

— Это другие добились... Вроде твоих родителей, — с горечью добавил он.

Она отвела глаза, и это рассердило его.

— Скажи, Дэни, что они подумали бы, если бы увидели сейчас, как мы танцуем с тобой? Решили бы, что грязные руки этого грязного фермера не должны прикасаться к тебе?

— Это было очень давно, Логан.

— Не так уж давно, чтобы забыть... Я сейчас достаточно чистый, достаточно добропорядочный, достаточно богатый, чтобы касаться тебя, Дэни?

— Для меня это никогда не имело значения, — тихо сказала Дэни.

— Почему же? Имело! — возразил Логан, наклонившись к ней. — Когда наступил решающий момент, именно это сыграло главную роль.

— Прости меня, я не могу... — Дэни внезапно с силой толкнула его в грудь и вырвалась из объятий.

Резко развернувшись, она натолкнулась на Эла.

— Готова для танца с другим партнером? — пьяно хохотнул тот.

— Не сейчас, Эл. Мне надо... в дамскую комнату.

Дэни отыскала комнату отдыха, которая была на том же месте, что и десять лет назад. Здесь когда-то она и другие девчонки поправляли прически, подкрашивали губы и сплетничали по поводу того, кто с кем танцует. Сейчас Дэни хотелось лишь уединения, она никого не желала видеть до тех пор, пока не придет в себя.

Когда она танцевала с Логаном, ей было сладко и одновременно тревожно, как и раньше. Хотя и не совсем так. Они больше не были влюбленными детьми. Оба прошли через душевные муки и страдание. Она больше не смотрела на мир сквозь розовые очки и не считала, что любовная история непременно закончится счастливо, подобно счастливым концам в волшебных сказках.

Дэни стала женщиной. Ее желания созрели и сформировались. Если раньше она была наивной девочкой, чье тело оставалось для нее самой тайной, то сейчас она слишком хорошо знала, чего хочет. Она хочет Логана.

Однако преграда оставалась все та же. Она не могла его иметь. Или, вернее, преград стало даже больше, чем раньше. А значит, она должна о нем забыть.

Несколько успокоившись, Дэни вышла из комнаты отдыха и по пустынному вестибюлю направилась к танцевальному залу.

Проходя мимо одной из дверей, Дэни машинально открыла ее. Это была кладовка, все такая же уютная, как и раньше.

— Комната для выяснения отношений.

Она вздрогнула от неожиданности и, обернувшись, увидела позади себя Логана. Он вошел в комнату, решительно втянул Дэни за собой и захлопнул дверь.

— Что ты сказал? — задохнувшись, спросила она.

— Так ее обычно называли ребята... Комната для выяснения отношений... Мы по очереди завлекали сюда девчонок во время танцев. Уж не знаю, известно ли начальству, какой славой пользовалась эта комната.

Дэни слабо улыбнулась. Сердце у нее гулко колотилось, во рту пересохло, но она изо всех сил старалась сохранить внешнее спокойствие.

— Мы, девчонки, знали, что вы здесь делали.

— Правда? Мы догадывались. Но от этого игра становилась еще более забавной. — Он на шаг приблизился к ней. Дэни отступила и уперлась в стену. Дальше отступать было некуда.

Ей очень не хотелось, чтобы он догадался, насколько беспомощной и беззащитной она себя сейчас ощущает.

— Рада была снова тебя увидеть, Логан. Я вообще-то собиралась уже уйти, и вот...

— Ты помнишь, что мы здесь делали с тобой в последний раз?

— А как насчет Ланы?

— При чем здесь Лана? — нетерпеливо переспросил он.

— Она ищет тебя.

— Нет, она не будет меня искать. Я передал ее Элу. Он был в восторге. — Логан приблизился к ней почти вплотную. — Забудь про Лану и про все остальное, кроме того последнего раза, когда мы были с тобой в этой комнате... Ты помнишь?

— Нет... То есть да... Я не уверена... Логан, я ухожу... Спокойной ночи.

Когда она попыталась выскользнуть, он схватил ее за руку и прижал к стене.

— Ты помнишь! Как и я... Ты была в розовом платье. Одно плечо у тебя обнажено, здесь была оборка. — Он провел рукой по ее груди. Дэни тихонько ахнула. Каждая клеточка ее тела подавала сигнал тревоги. — У тебя были крохотные сережки в ушах, а здесь бусы. — Он коснулся рукой ее шеи, и отнюдь не спешил ее убрать. — Волосы твои были забраны вверх, но на щеки падали локоны. Вот сюда. — Логан легонько потянул за волосы, и она почувствовала их прикосновение к щекам.

Дэни отлично все помнила, но продолжала отрицать.

— Не помню.

— Нет, ты помнишь. — Ее волосы обдало жаром его дыхания.

Дэни задрожала, отвернулась к стене, но это его не остановило. Дэни чувствовала спиной прикосновение его разгоряченного тела.

— До этого мы танцевали так близко, так терлись друг о друга, что еще чуть-чуть, и мы растаяли бы... Потом зашли сюда и целовались до тех пор, пока у нас не заболели губы... Ты была настолько вкусная и сладкая, что я никак не мог насытиться поцелуями. А когда попросил тебя прикоснуться ко мне, ты вытащила мою рубашку из брюк и положила ладони мне на грудь.

— Перестань, Логан.

— Ты и тогда сказала именно это. Когда я ласкал твою грудь, ты говорила мне «нет». Но ты хотела, чтобы я продолжал. Мы оба были как в огне... Ты хотела меня тогда так же, как и я тебя.

— Не делай этого, — дрожащим голосом

попросила она, опустив низко голову. Но он, казалось, только этого и ждал и тут же прижался губами к ее затылку.

— Но почему? Я хочу, чтобы ты вспомнила... Я хочу, чтобы ты помнила, как мы любили друг друга.

— Я помню.

— Разве? Тогда почему не рассказала родителям о наших чувствах?

Внезапно она повернулась к нему лицом:

— Я рассказала!

— По-видимому, это не убедило их, — пробормотал он. — Можешь представить, что я пережил, когда ты предпочла их?

— У меня не оставалось выбора.

— Тебе было восемнадцать. Юридически ты считалась самостоятельной. У тебя был выбор.

— Не было! — выкрикнула она. Ее голос звенел от напряжения.

— Ладно, сегодня ты сделала выбор и приехала сюда, — осторожно подбирая слова, произнес Логан. Он прижался к ней, и теперь их тела полностью соприкасались. — Сейчас ты со мной.

Жаркий блеск его голубых глаз напугал ее, однако она с напускной бравадой проговорила:

— Довольно, Логан, отпусти меня. Мы больше не дети, чтобы обниматься по углам.

— Ты чертовски права. Я хочу от тебя гораздо большего, а не просто нескольких минут объятий. — Дэни сделала попытку выскользнуть, но он припечатал ее своим телом к стене. — Тебе не следовало возвращаться сюда. Если не хотела отдавать мне долг.

Ею овладел страх, к горлу подступил комок.

— Какой долг? Чего ты хочешь от меня?

— Все шутки шутишь... Ты прекрасно знаешь, чего я хочу. — Он наклонился к ней так близко, что его губы едва касались ее лица. — Ты задолжала мне свадебную ночь.

2

инуту или больше она молча смотрела на Логана, не в силах двигаться, думать, дышать. Лишь когда прошел первый шок, до нее стал доходить смысл его слов.

— Ты так не думаешь, — прошептала Дэни.

— Именно так я и думаю.

— Но не в буквальном смысле.

— Именно в буквальном, — подтвердил он.

Дэни облизнула губы, моля бога о том, чтобы Логан отодвинулся. Он так плотно прижимался к ней, что она ощущала каждую выпуклость его тела. Сквозь шелковое платье Дэни чувствовала, как ее обволакивает его жар. Ее тело изнывало в ожидании тех ласк, о которых она якобы не помнила.

Какие аргументы можно найти сейчас, когда было ясно, что Логан говорит вполне серьезно? Десять лет назад он пережил крушение своих планов. Разочарование и обида все эти годы мучили и терзали его.

— Логан, мы были детьми, — тихо сказала она.

— Мы были молоды, да... Но не детьми... Дети не знают, что они делают... Мы же знали, Дэни. Хорошо знали, что делали. Мы знали, чего хотели. А хотели мы друг друга.

Она мучительно искала контраргументы. И прибегла к тому, который в течение десяти лет использовала в спорах с собой. При этом всегда проигрывала. Каким же образом она рассчитывает победить в споре с ним?

— Да, я допускаю, что мы хотели друг друга физически, но не более того.

— Если бы это было все, чего я хотел от тебя, я бы не ждал целых два года. — Он усмехнулся, явно адресуя эту усмешку самому себе. — Я ходил с самой красивой девчонкой в классе... Любой мальчишка спал и видел, чтобы хоть раз с такой встретиться. Но ты к тому же была и очень славная девчонка... девчонка, которая не дает вольничать парням.

— Ты ожидаешь извинений?

— Нет.

— Я и не подозревала, какую огромную жертву ты приносил, — саркастически сказала она.

— Жертву — да... Но не огромную. Я согласен был на любые отношения.

— Тогда зачем же ты обвиняешь меня сейчас?

Он взорвался:

— Потому что хочу, чтобы ты поняла: я мечтал не просто переспать с тобой. Я любил тебя, черт возьми! — Он стиснул ее плечи. — Я думал не только о свадебной ночи, когда мы убежали к мировому судье. Я мечтал, что всю жизнь мы проживем вместе. Я пережил ту церемонию, испытывая наивное благоговение перед тем, что мы обещали друг другу. Для меня это были не просто казенные слова, которые дают право переспать с тобой... Для меня это значило так много.

Логан тяжело дышал, его пальцы впились ей в плечо.

— Знаешь ли ты, насколько это унизительно — выйти от мирового судьи в качестве арестованного жениха? Поставь себя на мое место, Дэни! Попробуй представить, что я чувствовал!

Тогда она вела себя стойко. Дэни помнила красные и голубые мигалки, шум и суматоху, гнев родителей, отчаяние Логана...

Внезапно прильнув к нему, она сказала:

— Я чувствовала то же самое. Если ты все хорошо помнишь, то должен помнить и то, как я кричала, когда тебя тащили в машину шерифа, как умоляла отпустить тебя!

— Я видел только то, что тебя утешали мать и отец, словно я какой-нибудь сексуальный маньяк, который похитил их дочь.

— Их беспокойство можно понять. Это было неразумно с нашей стороны — вот так запросто пускаться в бегство.

— Стало быть, ты оправдываешь отца за то, что он арестовал меня, обвинив в краже твоей машины?

— Да нет же! — с несчастным видом сказала Дэни. — Это было мерзко с их стороны. Просто папа не знал, каким другим способом можно нас остановить!

— Что ж, он придумал чертовски эффектный способ. Сработал безотказно. — Логан с силой провел ладонями по ее плечам. — Твой отец снял обвинения, но лишь после того, как я провел несколько ночей в заточении, а тебя отправили в Даллас и расторгли наш брак.

На Дэни навалились воспоминания о тех кошмарных днях. Она рыдала, умоляла, торговалась, угрожала побегом и самоубийством, если ей не позволят увидеть Логана. Ее родители оставались непреклонными. Он не для нее, говорили они. Сделает ее страшно несчастной. Не сможет обеспечить ей достойный уровень жизни — уровень, к которому она привыкла. Он человек «не ее круга». Наконец она была сломлена, после чего несколько месяцев жила в каком-то оцепенении.

— Я отправился в Даллас, где мне в конце концов удалось увидеться с твоим отцом, — сказал Логан. — Ты с матерью уехала в Европу... Он заявил, что ты сожалеешь о своем опрометчивом поступке и больше не желаешь меня видеть.

— Я никогда не говорила ничего подобного, — сказала она тихо. На нее вдруг вновь нахлынули те же опустошение и апатия, которые она переживала в тот период. — Они принудили меня уехать. Мы оставались там шесть месяцев. Когда вернулись, я убедилась, что все уже безнадежно.

Логан слегка встряхнул ее.

— Вовсе не безнадежно. Если бы ты не сдалась... Если бы сопротивлялась поэнергичнее.

— Но я не могла! Ведь они мои родители.

— А я был твоим мужем! — Он произнес эти слова хрипло и таким тоном, который заставил ее содрогнуться то ли от страха, то ли от ожидания чего-то. — У меня была невеста, Дэни, но никогда не было жены. И я намерен взять то, что принадлежит мне по закону.

Она сделала попытку освободиться и была

несколько разочарована, когда Логан отпустил ее.

— Это невозможно.

Он тихо засмеялся и коснулся указательным пальцем ее нижней губы.

— Очень даже возможно. Мы оба здоровые, взрослые люди и действуем по взаимному согласию.

Она оттолкнула его руку.

— Я не согласна.

— Ничего, согласишься! — заявил он с такой уверенностью, которая не могла не вызвать в ней духа противоречия. — Я никогда бы не приехал за тобой в Даллас, но сейчас ты на моей территории. А то, что оказывается на моей территории, я считаю своим.

— Это что, угроза?

— Да. Или обещание, в зависимости от того, как ты на это смотришь.

— Пустая угроза, Логан. Сегодня ночью я уезжаю в Даллас.

Он потянул ее за медальон и привлек к себе. Голова ее при этом откинулась назад. Его губы настолько приблизились к ее губам, что она ощущала, как они шевелятся, когда он вновь заговорил:

— Чтобы снова убедить меня, какая ты трусиха? Не думаю, Дэни.

Она ощутила вкус поцелуя, который показался ей слишком мимолетным, и это ее снова разочаровало.

Логан отпустил ее.

— До завтра!

Он сделал несколько шагов назад, дерзко усмехнулся, вышел из комнаты и закрыл за собой дверь.

— Проклятье!

Войдя в номер мотеля, Дэни сначала швырнула на кровать сумочку, а затем бросилась на нее сама. Лежа на спине, она скинула туфли и уставилась в потолок. Перед ее глазами стояла улыбка Логана в тот момент, когда он уходил из «комнаты для выяснения отношений». Дэни стукнула кулаком по жесткому матрацу.

— Из всех надменных, самовлюбленных, упрямых ублюдков этот...

Она не договорила. Ее гнев не был подкреплен убежденностью в правоте своих слов, и Дэни это понимала. Повернувшись на бок, Дэни свернулась калачиком и подложила ладонь под щеку. Логан был надменным, самоуверенным и слегка самодовольным человеком. Прирожденный лидер, к которому тянулись люди. Логан был также еще и душевным, щедрым и просто добрым человеком. Дэни понимала, что он хотел уязвить ее самолюбие точно так же, как некогда была уязвлена его гордость. В то же время она знала, что Логан никогда не стал бы делать это преднамеренно.

И еще она понимала, что, несмотря ни на что, любит его. Любит так же сильно, как в дни их юности, когда согласилась стать его женой вопреки воле родителей.

«Господи, что же мне делать? Может быть, решение приехать в Хардуик было непоправимой ошибкой?» Ведь она отговаривала себя от поездки. Но что-то неотвратимо влекло ее сюда. Дэни хотела увидеть, каким стал Логан сейчас, как сложилась его жизнь. В журнальной статье ничего не говорилось о миссис Вебстер, но Дэни не исключала того, что он давно и счастливо женат. И если бы это было так, то она, должно быть, умерла бы от приступа тоски и отчаяния.

Но разве это не лучше, чем та ситуация, в которой она оказалась сейчас? Ей необходимо уехать. Сегодня же. Но если она уедет, то подведет очень многих людей, которые рассчитывали на нее.

Все начиналось так невинно. Она участвовала в заседании комитета, где обсуждались планы о проведении завтрака с целью привлечения пожертвований.

— Меня не будет в городе в пятницу, — помнится, заявила Дэни. — Я собираюсь в Хардуик на встречу по случаю десятилетия окончания школы.

— Хардуик? — Глаза председателя комитета миссис Менеффи хищно блеснули. — Это, кажется, в восточном Техасе?

— В трех часах езды, — пояснила Дэни. — Это небольшой городишко. Мой отец занимался там переработкой и сбытом древесины.

Миссис Менеффи подошла к письменному столу, порылась в ящике и достала карту. С минуту она изучала ее, затем радостно воскликнула:

— Я так и думала! Дэни, Хардуик находится совсем рядом с участком, который мы хотели бы купить для устройства детского лагеря.

— Неужели?

— Да! И владелец этих земель проживает в Хардуике. Я почти уверена в этом! Это мистер Логан Вебстер. Он занимается разведением скота, у него большое поместье. Нет нефти, но есть, как я думаю, природный газ. Он купил эти земли несколько лет назад, но до сих пор ничего с ними не сделал. Мы писали ему в надежде, что он продаст один участок нам, однако не получили ответа.

Дэни была одним из основателей общества

«Друзья детей». Единственная цель его заключалась в том, чтобы находить деньги для детей-инвалидов. И давней мечтой Дэни было устроить для таких детей лагерь.

— Вы с ним не знакомы? — спросила миссис Менеффи.

Под сверлящим взглядом, способным, казалось, вынудить нищего разжать кулак и отдать стодолларовую купюру, Дэни отвела глаза и сказала:

— Да. — И, прокашлявшись, добавила: — По крайней мере, слышала о нем.

— Коль вы будете там, почему бы вам не позвонить ему? Кто, как не вы, сможет убедить его продать подешевле участок для детского лагеря?

Миссис Менеффи отмела и разбила в пух и в прах все малоубедительные возражения Дэни и взяла с нее слово, что та встретится с мистером Вебстером в Хардуике.

— Что ж, я его встретила, — сказала Дэни своему отражению в зеркале и стала раздеваться. — Не могу сказать, что он рвется продемонстрировать свою щедрость.

Логан хотел только брать, но отнюдь не давать. А то, что он хотел взять...

Дэни невольно содрогнулась, надевая ночную рубашку. Направляясь к кровати, она бросила взгляд на папку, лежащую на столе. Подойдя к столу, вынула рекламные листовки и брошюрки, которые привезла с собой.

Со страниц листовок глянули на Дэни лица ребятишек, и сердце у нее, как всегда, сжалось. Возможность помочь остальным детям значила для нее с некоторых пор гораздо больше, чем личные проблемы. Если сравнить ее жизнь и те тяготы, которые испытывают эти дети и их близкие, собственные заботы покажутся мелкими, а поведение — эгоистичным.

Выключая свет, Дэни уже знала, что завтра воспользуется картой, которой ее снабдила Картошка, где показано, как добраться до дома Логана. Она обещала комитету, что поговорит с Логаном об участке для лагеря. А кроме того, несколько лет тому назад она взяла на себя некоторые обязательства. И ничто, даже угрозы Логана, не вынудит ее отступить от этих обязательств.

— Мне впору ненавидеть тебя, — сказала Картошка, жуя маисовую лепешку. Дэни сидела напротив нее за столом в патио со стеклянной крышей. Теплый летний ветер шевелил бахрому на зонтике, защищавшем их от солнца.

Дэни засмеялась:

— Почему?

— Ты еще спрашиваешь почему? Посмотри на себя! Ты не потеешь. — И театральным шепотом добавила, адресуясь к мужу: — Я подозреваю, что она инопланетянка.

— Кто инопланетянка? — За спиной Картошки появился Логан.

— Дэни... Она не потеет. И волосы у нее всегда в полном порядке. А ведь она только что плавала! Когда я поплаваю, то выхожу из воды растрепанная, как чучело! А она выныривает будто русалка.

Логан опустился на колено, чтобы получше разглядеть под зонтиком Дэни. Когда их взгляды встретились, мир как будто бы замер. Они перестали слышать голоса резвящихся в бассейне, играющих в волейбол и беседующих за столиками бывших одноклассников.

— Она выглядит настолько аппетитно, что ее хочется съесть, — пробормотал Логан.

Он видел, как вспыхнуло лицо Дэни под широкой соломенной шляпой.

— Ты не могла бы одолжить мне свое изящное, как тростинка, тело хотя бы на один денек? — спросила Картошка.

Благодарная Картошке за то, что та вовремя вмешалась, Дэни спросила:

— И что бы ты с ним стала делать?

— Я бы бегала голой по пляжу.

Логан неодобрительно хмыкнул, обнял Картошку за плечи и громко зашептал ей на ухо:

— Зачем тебе для этого другое тело? Было бы настоящим удовольствием увидеть твое тело на фоне волн и песка! Я купил бы места в первом ряду, чтобы полюбоваться тобой.

Картошка широко раскрыла глаза:

— Правда? Наконец-то заметил! Впервые за все годы Логан Вебстер посмотрел на мое тело и испытал вожделение!

Логан ослепительно улыбнулся:

— Далеко не первый раз.

— Джерри, ты слышишь? — обратилась Картошка к мужу. — Скажи мне, что ты безумно меня ревнуешь!

— Безумно ревную. — Джерри лениво глотнул лимонад. К этому времени вокруг собралась толпа, все весело смеялись. Джерри вкрадчивым голосом продолжил: — Но я не могу повесить каждого, кто посмотрел на тебя с вожделением. Они ведь просто смотрели, а не дотрагивались. А в итоге женился на тебе я.

— Но... но ты ведь всегда говорил, что моя... моя... — она жестом показала на свою грудь, — здесь ни при чем.

На некрасивом лице Джерри появилась виноватая улыбка.

— Я лгал.

— Джерри Перкинс! Так ты поэтому садился рядом со мной, когда мы ездили в автобусе на футбол? Да я никогда не позволяла...

— Ты позволяла, — напомнил Джерри, глядя на нее маслеными глазами. — Даже много раз.

— О-о! — выдохнула Картошка. Впрочем, ее добродушный нрав тут же восторжествовал, и она рассмеялась. — Говоришь, позволяла? Ну да что теперь скрывать, тогда мне это нравилось. Да еще и сейчас нравится... Передай мне, пожалуйста, лимонад.

Перекрывая общий смех, один из бывших лучших спортсменов класса сказал:

— Мы получали огромное удовольствие, когда наши капитаны болельщиков возвращались в автобусе после футбольного матча.

— А ты помнишь? Джерри и Картошка...

— Логан и Дэни...

— Ну да. И как тебе удавалось всегда забираться на заднее сиденье, Вебстер?

Глаза Логана встретились с глазами Дэни.

— Помните состязание по поцелуям, когда мы возвращались из Лампасаса?

— Только французские поцелуи, другие не в счет, — напомнила Картошка.

— И кто же победил?

— Ну, как ты думаешь, кто? Логан и Дэни.

Они продержались еще несколько миль, когда другие уже сдались.

— Черт возьми, я отстал всего на полмили, — проворчал Джерри.

Все засмеялись. Кроме двоих, продолжавших смотреть друг на друга и не замечавших, казалось, никого и ничего вокруг.

— А кто еще участвовал в состязании? Ах да, Джейн и Пи-Эл.

— А где Джейн? Я думал, она приедет.

— Она живет в Бомонте. У нее сейчас родился ребенок, третий по счету, и она не смогла приехать.

— А Пи-Эл живет в Калифорнии, занимается адвокатской практикой, женат... Слышал, что его жена тоже юрист.

— Детей нет?

Разговоры словно не доходили до сознания Дэни и Логана, настолько они были поглощены друг другом.

— А помнишь Билли — как его фамилия?

— Уинслоу?

— Да-да, Билли Клайд Уинслоу... Пошел в армию. Отправился в Камбоджу и там рехнулся.

— Наркотики?

— Думаю, что да.

Логан смотрел на рот Дэни. Она чувствовала его взгляд и невольно приоткрыла губы.

Дэни, в свою очередь, смотрела на губы Логана, на ямочку на подбородке и вспоминала вечерние поездки в автобусе. Там всегда были сквозняки. В салоне прохладно, но ей было тепло. Они укрывались его пиджаком и целовались до тех пор, пока хватало дыхания. Руки Логана бесстыдно блуждали по ее телу, и она вся пылала и таяла в его объятиях.

Для них было настоящим бедствием, когда автобус въезжал в город. Им хотелось ехать на край света, обнимая друг друга. Когда выходили из автобуса, она чувствовала себя истомленной и возбужденной одновременно. Сердце колотилось в унисон с частым и прерывистым дыханием, а между ног ощущалось какое-то сладостное томление.

Те же самые признаки она обнаружила у себя и сейчас — и всего лишь от того, что смотрела на него.

— Логан!

Мурлыкающий голос Ланы нарушил ход мыслей Дэни и показался ей громким, словно звук трубы.

— Эл хочет втереть мне крем для загара. Куда я его сунула, когда прошлый раз была у тебя? — Она была в кружевном бикини, едва прикрывавшем ее роскошное тело. Тоненькая золотая цепочка с кулоном в виде губ обольстительно спускалась почти до самого живота.

Логан посмотрел на Лану как на докучливого ребенка. В этот уик-энд она официально числилась его подружкой. Но сейчас ему хотелось, чтобы девушка вдруг исчезла. Весь день она приставала к бедняге Элу. Если надеялась, что Логан станет ревновать ее, то зря тратила силы и время. Тем не менее он не хотел быть грубым.

— Я не знаю, где он, Лана. Поищи в купальне.

Когда он снова повернулся, Дэни поднялась и двинулась сквозь толпу к дому.

Она вошла через одну из дверей в просторную кухню. Сняв шляпу и черные очки, прижала ладони к пылающим щекам.

Кухня, как и весь дом в целом, поразила ее эффектным современным дизайном, что в сочетании с роскошью и прагматизмом обстановки создавало просто потрясающий результат. Десять лет назад она плохо представляла, где находится ферма Вебстеров, — Логан никогда ее к себе не приглашал. Здесь здорово все изменилось за эти десять лет, и Дэни было подумала, что свернула сюда по ошибке, когда, следуя указаниям на карте, подъехала по дороге с трехрядным движением к большому современному зданию.

Построенное из камня и дерева, оно являло собой чудо архитектуры. Огромные окна и удобная планировка: бассейн и купальня, окруженные субтропическими растениями и роскошными цветочными клумбами; за конюшней и другими хозяйственными постройками простиралось обширное изумрудное пастбище, напоминающее озеро и переходящее в густой сосновый лес. Дэни помнила слова Логана о том, что ферма Вебстеров — это всего лишь несколько жалких акров земли. Очевидно, он дополнительно прикупил изрядное количество земли, снес старый дом и создал собственную империю.

Новый дом был просто великолепен. Комнаты — светлые и просторные. Полы из мозаичной плитки устланы коврами. Современная и весьма удобная мебель, обитая красивыми тканями, делала комнаты по-домашнему уютными. Солнечная кухня была оборудована по последнему слову техники. Правда, сейчас ее здорово захламили. Гости оставили много мусора, и Дэни стала складывать его в большой пластиковый мешок.

— Вот так неожиданность!

Бросив взгляд через плечо, она увидела в дверном проеме Логана.

— Работаешь за прислугу? — продолжал он. — Разве у тебя нет горничной, которая выполняет эти обязанности?

Дэни закусила губу, чтобы не ответить резкостью. Весь день им не удавалось пообщаться наедине. Сейчас, когда представилась такая возможность, он нарочно дразнит ее, но она не должна поддаваться на провокацию. Необходимо выполнить свою миссию, а для этого не следует сердить Логана.

Повернувшись к раковине, она принялась опорожнять стаканы и ставить их в посудомоечную машину.

— У меня нет горничной. Я живу одна в маленькой квартирке. Мне и самой почти нечего делать по дому, не говоря уж о горничной.

— Нет горничной... Маленькая квартирка... Ты ездишь на скромном «Бьюике». — Он подошел к ней поближе, оперся о стол, скрестил на груди руки и откинулся назад, глядя на Дэни. — А твой муж отказался выплачивать алименты?

Дэни вскинула голову, рука со стаканом застыла в воздухе. Она не подозревала, что Логан знает о замужестве. Условия расторжения брака — это ее личное дело, и нечего совать сюда свой нос.

Его улыбка была явно подстрекательской. Нет, она не позволит ему себя спровоцировать. Дэни поставила стакан в посудомоечную машину. Наклонившись, почувствовала, как прижалась бедром к бедру Логана.

— Не было никаких алиментов... Я их не хотела... Мне ничего от него не нужно... Даже его фамилии.

— Твои браки весьма непродолжительны... Этот простофиля хоть успел затащить тебя в постель до того, как ты удрала от него?

Дэни с треском захлопнула посудомоечную машину и резко повернулась к Логану. Она сжала руки в кулаки, ногти впились в ладони. Жесткими от гнева губами произнесла:

— Мой брак...

— Который?

— Настоящий!

— Наш брак настоящий...

— О'кей, второй брак был большой ошибкой.

— Я слышал, что он владел домом стоимостью в пять миллионов долларов, был членом лучших клубов, имел доходы от продажи нефти, которым мог бы позавидовать арабский шейх... Все вполне в твоем вкусе, Дэни.

Эти слова ранили ее до глубины души. Неужели он так плохо думает о ней? Или в нем просто говорит обида? Она горестно покачала головой.

— Я лучше пойду, — тихо сказала Дэни и повернулась к двери.

Логан схватил ее за запястье, не больно, но так, что нельзя было вырваться, и ей пришлось остановиться. Стоя к нему спиной, она услышала:

— Прости. Я сказал гадость. Почему ты не дала мне пощечину?

Видя, что Дэни не собирается поворачиваться к нему лицом, он провел пальцами по ее плечам.

— Дэни, посмотри на меня.

Дэни повернулась, в ее глазах блестели слезы.

— Прости, Дэни.

— Ты страшно несправедлив, Логан. Ведь ты добр с другими. Почему же меня мучаешь?

— Ты должна это сама понимать, — тихо проговорил он.

— Потому что я нанесла тебе травму?

— Что-то вроде этого...

— Мы не можем изменить прошлое.

— Я пытаюсь это сделать.

Он смотрел на нее таким горящим взглядом, что Дэни вынуждена была отвести глаза, чтобы самой не вспыхнуть в ответ. Логан хмыкнул.

— Не бойся. Я не собираюсь силой восстанавливать права мужа. Тем более в присутствии такого количества людей. — Он кивнул в сторону патио, где гости, похоже, не скучали в их отсутствие. — Пойдем, я знаю, где мы сможем поговорить. — Логан подтолкнул ее к другому выходу.

— Куда мы пойдем?

— Туда, где нас никто не подслушает, а если что-то и услышит, то никому не скажет.

— Ты ведешь меня на конюшню?

— Или в самолетный ангар.

— Лучше на конюшню. Я хочу посмотреть на твоих лошадей.

Словом «конюшня» с трудом можно было назвать здание, куда Логан вел Дэни. Оно было оборудовано по последнему слову техники. Логан отодвинул огромную дверь и, прежде чем Дэни догадалась о его намерениях, подхватил ее на руки и внес внутрь.

— Что ты делаешь?

— Ты одета не для конюшни, наступишь еще на что-нибудь. — Логан посмотрел на ее ноги в легких сандалиях с застежками вокруг щиколоток.

— Думаю, вероятность этого не велика. Здесь чище, чем во многих домах.

Однако Дэни не стала настаивать на том, чтобы он отпустил ее. Она чувствовала себя невероятно счастливой, хотя и понимала, что это глупо. Рука Логана лежала на ее обнаженной спине, и Дэни буквально таяла от ощущения его мужской силы. Ее руки обвились вокруг крепкой шеи Логана, лица их едва не соприкасались.

— Я не слишком тяжелая? — тихо спросила Дэни, прижимаясь к его груди.

— Ты никогда не была тяжелой.

Он шел по центральному проходу, останавливаясь у каждого стойла и представляя ее находящейся там лошади. Когда они дошли до конца, Логан поставил Дэни на возвышение и отступил назад.

— Ну, что скажешь? — с видимой гордостью спросил он.

— Скажу, что все твои лошади — красавицы!

Господи, а какая же она красавица, подумал Логан. Солнечный свет проникал через небольшое окошко и освещал ее, словно прожектор. Волосы, все еще влажные после купания, собраны сзади в хвост. Освещенная солнцем кожа казалась прозрачной. Пылинки кружились в снопе света, будто стремились утвердить свое право быть поближе к подобной красоте. Дэни словно была рождена солнцем, и доказательством этому служили ее золотистые волосы и лучистые глаза.

Они улыбались, довольные уже тем, что просто смотрят друг на друга. Но затем Дэни заметила, что между бровей у него пролегла глубокая складка.

— Ты только что улыбался, а сейчас вдруг нахмурился.

— Почему ты развелась, Дэни?

Вздохнув, она оперлась о верхний край тумбы.

— Он был в точности такой, как хотели мои родители.

— Я догадываюсь. А что же ты?

— Я была страшно несчастна и потому уязвима. Была готова ринуться на поиски чего-то. Он обаятельный и веселый, любил бывать на людях. Я надеялась, что все эти развлечения помогут мне побороть меланхолию.

— Не помогли?

— Нет.

— И поэтому ты развелась?

— Ну... были и многие другие моменты. — Она произнесла это таким тоном, что ему стало ясно: тема закрыта для дальнейшего обсуждения.

— И после этого ты жила одна? — Логан произнес это небрежным тоном, который тем не менее не мог ее обмануть.

— Ты хочешь спросить, были ли у меня другие мужчины после этого? Нет... А ты можешь то же самое сказать в отношении своих женщин?

Глаза его на мгновение сверкнули, затем погасли. Отвернувшись, он проговорил:

— Я мужчина, Дэни.

— И это извиняет твое развязное поведение? Раз ты мужчина, то можешь позволить себе случайные связи? — Увидев, как сердито дернулись его плечи, она со вздохом добавила: — Ну да ладно. Я наслышана о твоих шалостях. Мне рассказали одноклассники, которые продолжают жить в нашем городе.

— Не всему верь, что слышишь. По большей части это одни лишь сплетни.

— Опирающиеся на некоторые факты?

— Опирающиеся на некоторые факты, — нехотя согласился он.

Какое-то время она изучающе смотрела на него.

— Ведь тебе нравится быть тем, что ты представляешь собой сейчас, правда, Логан?

Он ответил не сразу.

— Да, нравится. Наверное, мне следовало бы извиниться за то, что я горжусь сделанным, но я не стану этого делать.

Логан смотрел на нее сердито, с вызовом.

— Ты знаешь, что я на два года старше наших одноклассников. А почему? Потому что ребенком должен был помогать по дому. Я пропускал школу, и учителя перевели меня на два класса ниже, чтобы я мог наверстать упущенное. Мне необходимо было стать хорошим спортсменом, хорошим учеником. Я должен был стать первым, потому что мы были бедными. Иначе надо мной смеялись бы. Когда вы ездили веселиться на вечера в университете, я вкалывал, чтобы заработать на поступление в колледж да еще отдать какую-то сумму родителям. Мне понадобилось пять лет, чтобы получить степень бакалавра. Но в конце концов я ее получил. И после этого был твердо намерен доказать, на что я способен.

— Тебе никогда не требовалось что-то доказывать другим, Логан. Ты всегда был личностью.

Логан упрямо покачал головой:

— Не всегда! Вот не сумел добиться женщины, которую хотел.

Дэни смотрела на свои руки.

Логан коснулся пальцами ее подбородка и приподнял ей голову.

— Ты знаешь, что твой отец продал свое предприятие по переработке древесины, когда переехал в Даллас? Теперь оно мое. И доходы от него сейчас вдвое больше, чем имел он.

— Я рада за тебя, Логан. И нисколько не удивлена. Я знала о твоих успехах.

— Но это не помогло мне удержать жену.

— Я ведь хотела быть с тобой. Но мои родители противились.

— Но ты слушала их! — выкрикнул Логан.

— Да. В то время — да. Я была напугана тем, что мы сделали. Да, тогда я слушала их.

— Ах, Дэни! — Он подошел к ней поближе, прижал ее голову к своей груди и стал поглаживать по обнаженной спине.

— Разве могу я винить тебя за то, что ты сделала? Ты ничего не знала о других, не знала, что это такое — быть бедным. Для тебя так естественно — поступить в университет и получить диплом специалиста по психологии, которым ты никогда не воспользуешься.

— Я пользуюсь им, — пробормотала она, уткнувшись носом ему в грудь, но он, похоже, не расслышал ее слов.

— Для тебя было вполне естественно вести себя так, как ты вела. — Он взял ее лицо в свои ладони. — Но только пойми и ты меня. Я должен был пробиваться, экономить и за все, что сейчас имею, бороться. — Логан быстро поцеловал ее в губы. — Я и сейчас борюсь.

И на сей раз поцеловал ее уже по-настоящему.

3

оже, как здорово! Этот поцелуй... Его рот... Теплый и нежный... Чуть колющийся подбородок щекочет ее. Мускусный запах одеколона смешивается с запахом теплого сена. Какое-то ощущение причастности к первозданной природе. Дэни осознала, какая она маленькая и беззащитная рядом с его мускулистым, атлетически сложенным телом. Женственность, оттененная мужской мощью и силой.

Его губы приникли к уголку ее рта, она ощутила легкие прикосновения языка.

— Господи, ты такая сладкая!.. Ах, Дэни, как давно это было, когда мы целовались!

— Верно, давно...

— Хочу снова попробовать...

— Логан...

Его язык проник между губ, нырнул в глубину рта, лаская, исследуя, пробуя. Теплые волны, рождаясь где-то внутри, захватили ее живот и грудь, сделали невероятно чувствительными соски. Сладостные ощущения набирали силу — и ей начинало казаться, что она парит в облаках.

Вот ее руки касаются его плеч, блуждают по ним, пальцы погружаются в копну густых светло-каштановых волос...

Логан издал звук, похожий на стон. Он снял Дэни с возвышения и, едва ее ноги коснулись земли, притянул к себе и прижал к своему пылающему жаром телу.

Дыхание обоих участилось, стало прерывистым. Он покрывал ее лицо легкими поцелуями.

— Скажи мне, что тебе хорошо, — хриплым шепотом попросил Логан.

— Мне хорошо.

Он снова стал целовать ее. Поцелуи стали дерзкими, жадными и страстными, и, когда наконец Логан оторвался от Дэни, она поняла, что это не просто поцелуй. Это акт любви.

— Ты никогда не целовал меня так десять лет назад, — пробормотала она

— Тогда я не осмелился бы. — Логан потерся животом о ее живот, и она застонала.

— Почему?

— Потому что тогда у меня не хватило бы самообладания остановиться, зайди я так далеко.

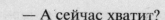

— А сейчас хватит?

— Не даю никаких обещаний.

Он притянул Дэни, чтобы снова поцеловать, но предательская дрожь в ее голосе послала предупреждающий сигнал. Она отвернула голову, и поцелуй пришелся в ухо.

— Нам лучше... ах, Логан... вернуться к гостям. Они будут удивляться...

— Не уходи, когда станут уходить все, — горячо зашептал он. — Задержись хоть ненадолго.

— Я не могу.

— Ты можешь.

— Я...

Он прервал ее протест поцелуем.

— Останься со мной хоть на короткое время, Дэни. Это все, о чем я тебя прошу.

— Не знаю... Мне надо подумать.

— А когда ты будешь знать?

Должна ли она? Нужно ли начинать то, что не может кончиться хорошо? Нет. Если у нее осталась хоть крупица здравого смысла, надо сесть в машину, возвратиться в Даллас и никогда больше не вспоминать об этом человеке.

Но его поцелуи, его ласки лишили ее разума. Ей хотелось остаться. Кроме того, она еще не поговорила с ним о покупке земли для лагеря.

Да, легко объяснять поступки задним числом, не понимая их истинных мотивов, подумала Дэни про себя, ощущая, как Логан гладит ей спину и прижимает к себе. Она уткнулась носом в вырез рубашки на его груди, коснулась ртом мягких волос. От него пахло летом и здоровьем.

У нее была веская причина остаться. Она обещала поговорить с ним о покупке земли. Разве этого недостаточно, чтобы оправдать себя?

Возможно, достаточно. А возможно, и нет. И к чему искать оправдание? Она хочет остаться. Все очень просто.

Логан водил губами по ее шее, не пропуская ни малейшего участка кожи.

— Когда ты будешь знать? — снова спросил он.

Она откинула назад голову, посмотрела ему в лицо и робко коснулась ямки на его подбородке.

— Я останусь... Только ненадолго...

— Так как все развивается? — Картошка плюхнулась на стул рядом с Дэни.

— Что развивается?

Дэни зачарованно наблюдала за тем, как играл в волейбол Логан. Участвовали только мужчины, и поэтому игра была довольно жесткой и бескомпромиссной. Логан облачился по такому случаю в вельветовые шорты и снял рубашку. Его загорелое, освещаемое предвечерним солнцем мускулистое тело блестело от пота. Он перемещался по площадке с удивительной грацией, демонстрируя великолепную координацию движений. У Дэни иногда захватывало дух, и она была рада, что не сняла огромную шляпу и солнцезащитные очки, которые помогали ей скрывать волнение.

— «Что развивается»! — передразнила Картошка. Нагнувшись к подруге, она щелкнула перед ее глазами пальцами.

— Как развивается ваше либидо? Твое и Логана... У вас снова полная гармония?

Дэни вспыхнула:

— Я... мы...

— Ладно, не мучайся, — проворчала Картошка, взбираясь на пул с ногами. — От тебя и раньше нельзя было дождаться какой-нибудь пикантной подробности. Если я умру, так и не узнав, как целуется Логан, в этом будет твоя вина.

Дэни засмеялась. Логан повернулся в ее сторону. Мяч просвистел над его головой и упал на площадку. Товарищи по команде набросились на него с упреками и заставили сосредоточиться на игре.

— А ты знаешь, он так и не смог забыть, — будничным тоном проговорила Картошка. Пожалуй, слишком уж будничным.

Дэни повернулась к ней:

— Что не смог забыть?

— А то, что произошло спустя несколько дней после выпуска.

Дэни побледнела:

— Тебе это тоже известно?

Картошка похлопала ее по руке.

— Не беспокойся. Я единственный человек, кто знает о твоем похищении и о том, что случилось впоследствии. Ну, Джерри тоже в курсе, но мы представляем собой единое целое.

— Тебе Логан рассказал?

— Почти случайно... Однажды он приехал из колледжа на рождественские каникулы. Мы пригласили его на обед. Ничего не подозревая, я принесла вырезку из газеты, где сообщалось о твоей свадьбе. Логан страшно побледнел, и мне показалось, что мое вкуснейшее жаркое встало ему поперек горла, а потом он пришел в ярость... Я думала, он разнесет в щепки нашу мебель, которую мы купили в рассрочку. Тогда

Логан в сердцах и рассказал нам о том, что случилось в тот день... И ругался страшными словами.

Картошка сжала руку Дэни.

— Я знаю Логана Вебстера с начальной школы. И никогда не видела его таким ни до того, ни позже. Он изрядно выпил у нас и пил потом целых три дня... После окончания колледжа Логан вернулся в Хардуик и работал словно зверь. Он поставил цель заработать денег как можно больше и как можно быстрее... Мы с Джерри считали, что это из-за тебя. Он очень изменился, перестал быть тем веселым, бесшабашным парнем, которого мы все так хорошо знали. Он стал как одержимый. Его будто что-то подталкивало... Знаешь, он еще и сейчас помогает своим младшим — брату и сестре — окончить колледж... Так или иначе, мы после этого никогда при нем не упоминали твое имя... Вплоть до того момента, когда запланировали встречу одноклассников... Тут он чуть не свел меня с ума расспросами о тебе и о том, собираешься ли ты приехать.

Самые различные чувства овладели Дэни. Неужели его сердце оказалось всерьез разбитым? Он не походил на человека, который способен долго переживать из-за женщины. Дэни увидела, что Логан подпрыгнул, изогнулся и, с силой ударив по мячу, приземлился уверенно и мягко, будто лев. Она так хорошо его знала, однако сейчас вдруг посмотрела на него новыми глазами.

В шестнадцать лет ее неудержимо влекло к Логану. Она с интересом рассматривала его, когда он в трусах и безрукавке носился по баскетбольной площадке. Сейчас это влечение овладело ею с новой силой, хотя теперь Дэни больше не пугали характерные особенности мужского тела. Ей хотелось исследовать, трогать и пробовать на вкус каждый его дюйм. Она никогда не испытывала ничего подобного по отношению к другому мужчине.

Но сколько женщин хотело Логана?

И к скольким женщинам влекло его? Она посмотрела в сторону бассейна. Эл и Лана отбросили всякую маскировку и напропалую обнимались, сидя в шезлонге.

— Я думала, что если он и страдал, то очень недолго, — сказала Дэни, обращаясь к Картошке. — Его реакция на мой брак могла объясняться гневом или уязвленной гордостью, а вовсе не любовью, на которую не ответили взаимностью. Сколько таких женщин, как Лана, залечивали ему рану, нанесенную мной?

Картошка уже тоже обратила внимание на Эла и Лану и презрительно фыркнула.

— Не сосчитать, — без обиняков заявила она.

Дэни удивленно повернула голову в сторону подруги, явно не ожидая от нее такой откровенности. Картошка улыбнулась:

— Ты считаешь, мне следует смягчить удар, да? — Она закинула руки себе за голову. — Нет! Было множество женщин, точно таких, как Лана. Но ни одной, которую он воспринимал бы серьезно. Ни на ком Логан не собирался жениться. Он якшается какое-то время с девицей вроде Ланы, через месяц-другой бросает ее. Но если ты спросишь меня, да и Джерри думает точно так же, у Логана была только одна любовь. Это ты, дорогуша.

— Классный пикник, Картошка. — Эл и Лана, которая обвила его, словно лиана, подошли к Картошке и Дэни. — Мы с Ланой собираемся отвалить.

— И то пора, — не очень любезно сказала Картошка. — А то это становится уже неприличным.

Эл выглядел несколько смущенным. Лана была невозмутимой.

— Рад был повидать тебя, Дэни, — сказал

Эл. — Может быть, звякну тебе, если окажусь в Далласе.

— Пошли, мой сладкий, — потянула Лана его за руку. — Идем!

— Ну, пока! — как-то неловко проговорил Эл.

— Пригласи меня на свою следующую свадьбу... Или на развод, — засмеялась Картошка.

— Что она хочет сказать, мой сладкий?

— Гм... да так, ничего, Лана... Пошли, малышка. Моя машина вон там.

Подошел Логан, промокая потное лицо и шею полотенцем.

— До встречи, Эл, Лана.

Он вовсе не был похож на человека, которого терзает ревность.

Картошка так посмотрела на Дэни, словно хотела сказать: «А что я тебе говорила?»

Другие тоже стали расходиться, обменявшись адресами и обещаниями поддерживать связь до следующей встречи. Все изрядно загорели и устали за этот день, однако были едины во мнении, что встреча превзошла все ожидания.

— Не надо этого делать, Картошка, — сказал Логан, увидев, что она загрузила поднос грязной посудой и собирается нести его в дом.

— Ты предоставил в наше распоряжение свой дом. Надо хотя бы привести его в порядок.

К тому же я назначила себя членом оргкомитета из одного человека и должна нести ответственность за нанесенный тебе ущерб. — Она бросила выразительный взгляд на Джерри, который, лениво покачиваясь в кресле, потягивал из стакана прохладительный напиток. — Джерри, подними свой зад и помоги.

— Но ведь оргкомитет состоял из одного человека, — поддразнил ее Джерри.

— А ну-ка, быстренько поднимайся, мистер! — Картошка уперлась руками в пышные бедра. — Я еще с тобой разберусь за то, что ты без конца лапал меня за сиськи на глазах у всех!

Джерри поднялся, примирительно обнял жену и сделал попытку поцеловать ее.

— Да ладно уж, Картошка! Не надо было отращивать их до таких размеров.

Опомнился Джерри уже в бассейне, куда его отправила мощная длань жены. Стоявшие рядом разразились неудержимым смехом, глядя на ошарашенное лицо Джерри, вынырнувшего на поверхность.

— Я тебе это припомню, Картошка! — пригрозил он.

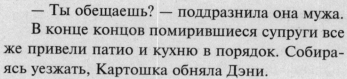

— Ты обещаешь? — поддразнила она мужа.

В конце концов помирившиеся супруги все же привели патио и кухню в порядок. Собираясь уезжать, Картошка обняла Дэни.

— Не забывай нас.

— Не забуду.

Картошка с вызовом посмотрела на Логана:

— Заставь ее дать обещание.

— Сделаю все возможное.

Воцарилась какая-то оглушающая тишина после отъезда этой пары. Дэни только сейчас заметила, что уже стемнело. Летняя ночь обещала быть тихой и ясной. Логан тихонько подошел к ней сзади. Взяв за руку, он повернул ее лицом к себе.

— Ты голодна?

Дэни покачала головой:

— После всего съеденного? Нет.

— Пить хочешь? — И сам ответил на свой вопрос, передразнивая ее: — После всего выпитого? — Он пальцем нежно нарисовал какой-то узор на ее запястье. — Ты пьяна?

— Немножко, — расслабленно улыбнулась она.

— Я тоже. — Логан притянул Дэни к себе. — Но не от текилы. — Целомудренно поцеловав ее в щеку, добавил: — Поплавать хочешь?

— Пожалуй.

— Пошли. У меня есть кое-что получше. — Он потянул Дэни за собой через патио к купальне. Рогатый месяц и бриллиантовая россыпь звезд, которых не замечаешь в городе, бросали на окружающие предметы таинственный серебристый свет.

Возле задней стенки купальни был высокий деревянный забор. Логан протянул руку и достал сверху ключ. Он отпер калитку, распахнул ее и подтолкнул вперед Дэни.

— Вот это да! — восхищенно воскликнула она. Вода бурлила и пенилась в огромной емкости. Дно этой ванны-джакузи было подсвечено. Это походило на купель наслаждения, изобретенную гедонистом.

И этот гедонист, довольно ухмыляясь, смотрел сейчас на нее.

— Нравится?

— Еще бы! Но почему ты не продемонстрировал это другим гостям?

— Ни к чему. Это только для избранных. — Он положил ладони ей на плечи и легонько поцеловал в затылок. — Помочь тебе? — спросил он, дотрагиваясь до пояса ее купального халата.

Помощь ей не требовалась, тем не менее каким-то глухим голосом она произнесла:

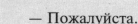

— Пожалуйста.

Его неловким пальцам потребовалось на удивление много времени, чтобы развязать пояс.

— Я миллион раз мечтал о том, как буду одевать и раздевать тебя... Выполнять некоторые приятные обязанности мужа, которых я был лишен.

Строго говоря, в том, что Логан развязывал ее пояс, не было ничего особенного. Просто при виде того, с каким волнением он это делал, она испытывала какое-то щемящее чувство печали. Ведь ни ее, ни его надеждам не суждено было сбыться. Логан нарочито мешкал, продлевая удовольствие от процесса. Наконец он медленно распахнул полы и, скользя ладонями по ее груди, плечам и рукам, сбросил халат на землю. Дэни осталась в ярко-голубом бикини без бретелек.

Логан быстро стянул резиновую ленточку с пучка, и волосы рассыпались по ее плечам. Сколько раз он представлял себе, как распускает ее волосы — шелковистые, блестящие, густые.

— Я боялся, что ты их отрежешь.

Дэни тряхнула головой, и волосы скользнули по его пальцам прохладными струйками.

Сандра Браун

— Нет. Я так и не смогла на это решиться.

Он уткнулся лицом в шелковистую копну.

— Я очень этому рад.

Мозолистые ладони скользнули к ее талии.

— Ты не хочешь снять еще что-нибудь, прежде чем забраться в воду?

Она откинула назад голову и прислонилась к его груди. Казалось, она могла простоять так сколько угодно...

И в ту же минуту Дэни вспомнила: Логан бросил ей вызов. Он настаивал на брачной ночи. Для чего? Потешить самолюбие? Или просто хотел получить старый долг? И разве не достанет у нее гордости и здравого смысла, чтобы не позволить ему это?

Дэни мягко отстранилась от него.

— Да. — Повернувшись, она лукаво улыбнулась. — Туфли.

Он криво усмехнулся:

— Туфли — совсем не то, что я имел в виду.

Сев на край ванны, она развязала кожаные шнурки и сняла сандалии. Затем погрузилась в пузырящуюся теплую воду.

— Логан, это чудесно!

Он слегка приглушил свет, и тело Дэни стало напоминать тень танцующей наяды. Потом щелкнул каким-то выключателем, и поли-

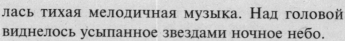

лась тихая мелодичная музыка. Над головой виднелось усыпанное звездами ночное небо.

Они не спускали глаз друг с друга. Кровь у нее разогрелась и бурлила, как сама вода. Глаза Логана казались гораздо более светлыми, чем обычно.

Словно загипнотизированная, она наблюдала за тем, как он поднес руки к талии и дернул вниз «молнию» шортов. Открылся пучок волос возле пупка. «Молния» поползла вниз. Сердце у нее билось, как молот. Он не должен. Он не сделает этого.

Однако Логан сделал. Шорты скользнули по мускулистым бедрам, икрам и упали к ногам.

Он стоял обнаженный. Стоял, демонстрируя великолепное, совершенное тело.

— Я не стыжусь тебя, Дэни, — спокойно сказал Логан, видя ее граничащее с шоком изумление. — Я хочу, чтобы ты смотрела на меня, узнала меня всего. Я ведь твой муж, ты это помнишь?

— Был мужем, — хрипло возразила она.

— Это не важно.

Он стал погружаться в бурлящую воду, которая дюйм за дюймом поглощала его тело. Бронзовая кожа начала блестеть. Вода клубилась вокруг его бедер, ласкала ягодицы, вихрилась возле живота. Дэни была зачарована зрелищем. Логан был красив, как молодой бог. Ей невольно захотелось коснуться его, броситься ему на шею и зарыдать.

В пенящейся воде он направился к ней, словно безжалостное океаническое божество, стремящееся заполучить то, что ему хочется. Дэни выскочила из воды, однако Логан успел схватить ее за руки и удержать.

— Ты все еще моя жена, Дэни. — Он притянул ее, и мягкое соприкосновение их тел вызвало вспышку невероятно сильных ощущений. Словно внутри ее взорвались огни фейерверка.

— Не надо, Логан. Это было очень давно. Слишком многое произошло за это время с тобой и со мной.

— Я намерен заявить на тебя свои права.

Логан поцеловал ее, его руки по-хозяйски обвились вокруг тела Дэни. Он опустился на колени, снова увлекая ее в водоворот. Руки Логана скользили по ее спине и ягодицам. Он поднял ей ноги, обвил ими свое тело и прижался бедрами.

Дэни тонула, но не в бурлящей воде. Она захлебывалась от собственных переживаний.

Зная, что этого делать не следует, тем не менее не могла противиться желаниям собственного тела. Чтобы удержаться, она уцепилась за его волосы, когда он наклонился поцеловать ее в шею.

— Логан, пожалуйста, подожди.

— Я ждал слишком долго.

Он снял с нее лиф купальника. Бурлящая вода тут же поглотила его. Логан издал радостный крик, который, как эхо, невольно повторила и она — ее грудь соприкоснулась с жесткими волосами на его груди.

Дэни еще крепче вцепилась ему в волосы, когда Логан прижался губами к ее соскам и начал их ласкать. Он водил по ним губами и языком, пока они не превратились в жесткие горошины. Тогда Логан втянул их в рот, и от этих ласк Дэни почувствовала, как сладкая, невыносимая истома разливается по всему телу.

Но это не любовь. Не любовь к нему. И если она не остановит его сейчас, ей не будет спасения.

— Логан...

— Я хочу тебя, Дэни. — Рука Логана скользнула под трусики, сжимая упругую плоть ягодиц.

— Не надо! — застонала она. Но он был не

в состоянии что-либо слышать. Дэни больно дернула его за волосы, и он поднял голову. — Нет, Логан... нет! — задыхаясь, произнесла она.

Он дышал хрипло и часто.

— Но почему, Дэни?

— Потому что я не желаю быть утешительным призом за тот долг, который, по твоему мнению, тебе не отдали.

— Но ведь ты тоже хочешь меня! Не пытайся это отрицать! Я это точно знаю... чувствую.

Ногтями она впилась ему в плечи.

— Все произошло так стремительно. Я не успела опомниться... Я не знала, что ты все еще любишь меня.

— Ты знала.

— Через десять-то лет? Нет, не знала...

— Ну, допустим... Сейчас-то ты знаешь. Зачем эта игра в невинность?

— Это не игра.

— Тогда что же? Вчера я сказал, что мечтаю о свадебной ночи. Весь день ты своим поведением давала понять, что согласна. Зачем же пришла, если не за этим? Почему не удрала в Даллас?

Словно хватаясь за спасительную соломинку, она выпалила:

— Потому что я хотела поговорить с тобой о покупке кое-какой твоей собственности.

Очевидно, Логан никак не ожидал столь прагматичного объяснения. Он откинул назад голову и часто заморгал, словно пытаясь рассмотреть ее. Он отпустил Дэни, и она встала перед ним на колени, целомудренно скрестив на груди руки.

— Что ты сказала? — ошеломленно спросил он.

Дэни нервно облизнула пересохшие губы. Время было совершенно неподходящим для делового разговора, она полностью отдавала себе в этом отчет, но у нее не оставалось выбора. Он мог взорваться в любую секунду, и не следовало мешкать с объяснениями.

— Я... работаю в одном комитете... «Друзья детей». Может, ты слышал о нем. — Она помолчала, с надеждой глядя на Логана, на всякий случай улыбнулась, однако каменное выражение его лица не изменилось.

— Продолжай.

— Мы ищем деньги для умственно отсталых детей и детей-инвалидов. Хотим построить для них летний лагерь. Нам вполне подошло бы твое владение в графстве Хэнкок. Наш председатель, миссис Менеффи, несколько недель назад написала тебе по этому поводу письмо. Поскольку я собралась сюда приехать, то согласилась поговорить с тобой. — Дэни сглотнула. — Ты мог бы продать нам эту землю? Недорого?

Несколько секунд он оставался неподвижным. Пузырящаяся вокруг вода и их нагота показались ей в этот момент какой-то неуместной шуткой. Ночная романтика превратилась в непристойную пародию.

Затем Логан вдруг затрясся. Он тяжело и хрипло задышал, взревел, выскочил из ванны и, нагнувшись, схватил и поднял Дэни, в ярости уставившись ей в лицо. Однако, когда заговорил, голос его на удивление был тихим. Уж лучше бы он кричал...

— Ты хочешь сказать, что весь день ублажала бывшего возлюбленного, в прямом и переносном смысле, чтобы купить его?! Хотела получить от меня пожертвование на благотворительные цели?

— Нет! Не так!

— Но это ведь ясно как божий день! Проклятье!

Логан шагал вдоль забора, изрыгая ругательства, от которых у нее покраснели уши. Он снял с вешалки полотенце и обмотал его вокруг талии. Повернувшись к ней, внезапно присвистнул.

— Собственно говоря, почему меня это удивляет? Что еще можно ожидать от такой особы, как ты? По всей видимости, клятва ничего для тебя не значит. Не так ли, Дэни? Да есть ли что-нибудь святое и дорогое для тебя?

«Да! — хотелось ей крикнуть. — Комитет, значение которого тебе никогда не понять, мистер Вебстер». Дэни ничего не собиралась ему объяснять, как бы он ни обвинял ее в черствости. Ей хотелось наброситься на него, стереть с его лица это надменное выражение, но в ее положении, стоя с голой грудью, с трудом прикрываясь трясущимися руками, проявлять характер было очень непросто.

— Та работа, которую мы выполняем, очень важна, Логан, — ровным, холодным тоном проговорила Дэни. Она почувствовала, что ее начинает колотить озноб.

— Наверное, это так и есть. И ты, конечно, полагаешь, что я не пожалею денег на детей-инвалидов. Меня просто поражает, что светские дамы вроде тебя думают, будто в состоянии манипулировать людьми.

— Я не светская дама.

— Я читаю газеты, Дэни. И видел твои фотографии на благотворительных вечерах, завтраках и турнирах по гольфу. Из этого можно сделать вывод, что ты думаешь не столько о благотворительности, сколько о том, чтобы твои снимки попали в газету.

— Ты сноб, Логан. Сноб наизнанку. Ты считаешь, что у бедных людей — монополия на щедрость?

Но он продолжал, словно и не слышал ее слов.

— Что ты делаешь в клубах? Организуешь состязания, кто из твоих друзей внесет наибольший взнос? Собираешь пожертвования, словно скальпы, чтобы подвесить их себе на пояс? Насколько далеко ты заходишь, чтобы получить как можно больше пожертвований, Дэни?

— Настолько, насколько это требуется, — взорвалась она.

— Похоже, у меня есть шанс провести эксперимент. — Он многозначительно посмотрел на обнаженную грудь Дэни. — Что тебя вынудило остановиться? Угрызения совести? Или же я должен отвалить тебе кусок, чтобы твои друзья знали, как предана ты своему делу?

— Забудь об этом, Логан. Я уезжаю.

Она попыталась пройти мимо него, но он схватил ее за руку.

— Ты хочешь получить этот участок, Дэни?

— Я сказала: забудь об этом.

— Я задал тебе вопрос: ты хочешь получить этот участок?

— Да. Ты продашь его?

— Нет!

Считая ниже своего достоинства продолжать разговор, она попыталась освободить руку. Но он лишь крепче сжал ее.

— Но я подарю тебе его.

Она застыла от удивления и посмотрела на него. Глаза Логана показались ей холодными, как стекло при лунном свете.

— По... подаришь его мне?

— За определенное вознаграждение.

— Мне показалось, ты сказал...

— Речь не о деньгах. Ты знаешь, чего я хочу за это.

Внезапно Дэни все поняла.

— Ты хочешь...

— Брачную ночь, — закончил он фразу. — Целую ночь в постели... С тобой... Ты предоставишь мне это за довольно плохой участок?

Боже! Он не понимал, что предлагал! Сотни лиц проплыли у нее перед глазами. Красивые, безобразные, скорбные. С надеждой взирающие на нее. Она приговорила себя к тому, чтобы помогать им. Они надеялись на нее.

Провести одну ночь с Логаном... Всего одну ночь... Сможет ли она потом покинуть его, проведя с ним всего одну ночь? Ей придется это сделать. У нее нет выбора. Всего одну ночь... С Логаном.

Дэни взглянула на него. Логан терпеливо ожидал ответа, не выказывая никаких эмоций. Для него открывалась возможность выгодной сделки — получить то, чего хотел он, в обмен на то, чего хотела она.

Но для нее это будет ночь любви. Она узнает наконец силу любви и объятий Логана. В течение одной лишь ночи за всю жизнь насладиться его ласками... Услышать, как он шепчет ей слова любви... Ощутить его внутри себя, когда он станет частью ее самой.

— Хорошо, — тихо сказала Дэни. — Договорились... Одна ночь со мной за участок.

Она почувствовала, что он слегка расслабился после этих слов, однако не отпустил ее. Более того, притянул Дэни к себе, нагнулся пониже, так что она ощутила на своем лице его дыхание.

— Скрепим нашу сделку поцелуем.

Логан прижался ртом к ее губам, которые с готовностью приоткрылись. Его язык погрузился внутрь и двигался там до тех пор, пока у нее не закружилась голова. Как-то незаметно полотенце соскользнуло с талии, и Дэни с трепетом ощутила прикосновение теплой, покрытой волосами кожи и бархата тугой мужской плоти к своему животу.

Логан легко взял ее на руки и осторожно понес через патио в темный дом. Молча поднялся по лестнице. Дэни ощущала на себе его горячий взгляд, чувствовала, как растет ее возбуждение.

Они оказались в просторной спальне с широкой кроватью. Логан опустился на колени и положил ее на мягкое покрывало. Потом лег рядом, осыпая Дэни поцелуями.

Логан взялся за ее трусики, стянул вниз по точеным, стройным ногам, и теперь она лежала перед ним обнаженная. Он стал покрывать поцелуями ее грудь, а ладони скользнули вниз — к икрам, к округлым бедрам. Его рука приближалась все ближе и ближе к тому месту, которое просило о ласке. Застонав, Дэни выгнула спину навстречу и развела бедра, ожидая мгновения, когда он окунется в ее ноющую, пылающую плоть.

Внезапно Логан высвободил руку, которой обнимал Дэни за шею, и отодвинулся. Казалось, не он сам, а его легкая тень метнулась к двери.

— Спокойной ночи, Дэни.

Она мгновенно села на кровати, чувствуя себя так, словно ее ударили по лицу.

— Как... спокойной ночи?

— Как я сказал.

— Но я думала... брачная ночь...

— Да, я не отказываюсь от сделки. Но не сегодня. В договоре ничего не говорится о том, когда это должно произойти. А пока я решу, каким образом довести все до конца, — он хмыкнул, — ты останешься у меня.

— Что? Остаться у тебя? Как долго?

Он пожал плечами и, закрывая дверь, сказал:

— Пока у меня не появится настроение.

4

ЭНИ бушевала, руга-
лась, ходила по комна-
те и наконец заснула.
Слишком гордая, что-
бы уехать, она не хотела просить Логана освободить ее от договора, инициатором которого
был он сам. Дэни согласилась на сделку обду-
манно, и винить в этом нужно лишь саму себя.

Подумать только! Она в первый раз решилась продать свое тело — и покупатель не взял
его! После нескольких часов мучительных раз-
мышлений Дэни забралась под пахнущие све-
жестью простыни и погрузилась в возмутительно глубокий и мирный сон.

Солнце успело подняться высоко, когда
она проснулась. Вспомнив, где она и что с ней
произошло минувшей ночью, Дэни сбросила с
себя одеяло и отправилась поискать, во что бы
ей одеться. На ней не было ничего, кроме трусиков от купальника. Совсем не хотелось предстать перед Логаном в таком виде, когда един-

ственная защита от мужских глаз — этот скудный клочок синтетической ткани.

В декадентски роскошной ванной комнате рядом со спальней Дэни обнаружила махровый халат, который висел на фарфоровом крючке двери. Она завернулась в него, чувствуя себя, однако, не намного более защищенной, нежели в одном бикини. Дэни предпочла бы предстать перед Логаном не иначе как одетой по всей форме.

Отбросив волосы назад и воинственно приподняв подбородок, она открыла дверь и пошла через зал. Ее встретили дразнящие аппетитные запахи, которые преследовали всю дорогу, пока она спускалась по лестнице и добиралась до кухни.

Логан сидел в освещенной солнцем кухне за круглым столом, рассеянно потягивая кофе и упершись босыми ногами в стул напротив. На облицованном мраморными плитками полу валялись страницы воскресного выпуска далласской газеты.

На нем были обтрепанные, обрезанные выше колен джинсы; тенниска, без сомнения, знавала лучшие времена. На подбородке темнела выросшая за ночь щетина, волосы были всклокочены.

Он выглядел великолепно!

Услышав, что босые ноги Дэни зашлепали по полу кухни, Логан опустил газету. Она ожидала увидеть насмешливую улыбку, может быть, издевку на его лице. Но никак не думала, что он так резко отбросит газету — тем более спортивную страницу, встанет, мягко обнимет ее и скажет:

— Доброе утро, любовь моя!

Логан заключил в ладони ее лицо и нагнулся, чтобы, как ей показалось, запечатлеть легкий, доброжелательный утренний поцелуй. Но она снова столкнулась с неожиданностью: Логан со всей силой прижался к ее губам, раздвинул их, и его язык погрузился в глубину рта.

Дэни рассердилась, но была не в состоянии прервать этот долгий поцелуй. Он ошеломил ее. Это был не легкий утренний поцелуй победителя. Это был поцелуй любовника — трепетного и страстного.

Логан оторвался от ее рта и спросил:

— Надеюсь, ты хорошо спала?

Этот спокойный, будничный голос человека, который словно хотел подчеркнуть привычность процедуры, снова поверг ее на какое-то мгновение в шок. Придя в себя и запахнув полы халата, она раздраженно выкрикнула:

— Нет, я спала плохо! Логан, ни к чему иг-

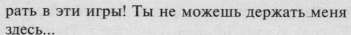

рать в эти игры! Ты не можешь держать меня здесь...

— Странно, когда я заглянул к тебе, ты спала сном младенца. — Не обращая внимания на ее напряженную позу, он притянул Дэни к себе и ткнулся лицом в ухо. — Ты храпишь.

— Я не храплю! — Конечно же, Дэни не знала, храпит она или нет. Уже много лет прошло с тех пор, как она с кем-то вместе спала. — Но я не желаю обсуждать эту тему! Я хочу поговорить о...

— Мне нравится, как ты похрапываешь. Уверен, ты проголодалась. Присаживайся... Завтрак в духовке... Тебе кофе или чай?

Поскольку он полностью проигнорировал ее возмущение и отвернулся, чтобы достать чашку и блюдце из буфета, ей оставалось только молча сверкать глазами.

— Кофе или чай? — повторил он свой вопрос, взглянув на нее через плечо. Улыбка его была ослепительной и обезоруживающей, она разбивала в прах все аргументы, которые Дэни приготовила. Обаяние Логана поражало их по очереди, словно цели в школьном тире.

— Кофе, — твердо сказала Дэни. — Без сахара. Со сливками.

— Странно, — прокомментировал он, — хотя мы женаты уже десять лет, я до сих пор не знал, какой кофе ты любишь... Это только маленькая толика из того, что я хочу о тебе узнать, — ласково сказал Логан. — Садись, — добавил он, ставя кофе на стол.

— Я не хочу сидеть, Логан. Я хочу поговорить.

— Разве нельзя поговорить сидя?

— Ах, как дьявольски остроумно! — огрызнулась она. — Я не могу сидеть за столом рядом с тобой и болтать, словно ничего не произошло.

— Но это именно так: ничего не произошло, — с убийственной логикой заметил он. — Поверь мне, мое мужское естество со всей силой подтверждает тот факт, что ничего не произошло.

Она постаралась не обращать внимания на румянец, выступивший на ее щеках.

— Ты должен понять, насколько я себя неудобно чувствую.

— Почему ты себя неудобно чувствуешь?

— Потому что на мне нет никакой одежды, кроме единственного предмета. Мы находимся в неравном положении.

— Ну, если только это... — Он взялся за застежку своих обрезанных джинсов. — Я разденусь, и ты не будешь чувствовать себя столь ущемленной...

— Нет! — Она предостерегающе выбросила вперед руку. Логан выгнул брови, улыбка тронула уголки его губ. — Не мог бы ты принести из машины мои чемоданы? Я хотела бы одеться.

— Твои чемоданы уже в доме. После завтрака у тебя будет уйма времени, чтобы одеться... А пока садись. — Это была своего рода мягкая команда, которой она вынуждена была подчиниться. Он дотронулся до ее руки и слегка подтолкнул к креслу. — Ты голодна?

Ей страшно хотелось есть, однако Дэни сказала из чистого упрямства:

— Нет.

Его лицо заметно помрачнело, и она поспешила добавить:

— Но ты можешь есть. Я обычно мало ем по утрам.

Он открыл дверцу духовки и достал две тарелки с беконом и яичницей. Когда поставил их на стол, у нее потекли слюнки.

— Ты любишь булочки с брусникой? — спросил Логан, ставя на стол тарелки с подогретыми булочками.

Она проигнорировала его вопрос и, в свою очередь, спросила:

— Ты это сам готовишь?

— Бекон и яйца — да. Экономка испекла

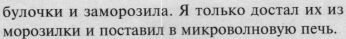

булочки и заморозила. Я только достал их из морозилки и поставил в микроволновую печь.

— Экономка? — Она бросила на него насмешливый взгляд. — Насколько я поняла, ты презираешь горничных и тому подобных лиц.

— Я одинокий мужчина. И поскольку у меня нет жены, — он сделал эффектную паузу, — живущей со мной, приходится нанимать кого-нибудь, кто бы обо мне нежно позаботился.

— Я думала, что нежная забота была обязанностью Ланы. — Дэни надеялась, что он станет отрицать это предположение, однако Логан лишь улыбнулся:

— Ревнуешь?

— Конечно, нет!

Он засмеялся:

— Конечно же, ревнуешь.

Логан внезапно поднял ее со стула, посадил к себе на колени и смачно поцеловал. Поставив перед ней тарелку, он подал ей вилку.

— Мне больше нравится, чтобы ты сидела здесь. А теперь ешь.

— А как насчет твоей экономки? — спросила она, откусив булочку. — Тебя не смутит, если она вдруг войдет и застанет нас в таком положении?

— Я дал ей несколько дней отдыха.

— Когда?

— Позвонил ей сегодня утром.

— Ты и в самом деле намерен держать меня здесь?

— Ты ведь этого хочешь.

— Дело не в том, чего хочу я. Ты определил условия сделки.

— Ты могла отказаться. Но не сделала этого.

Ей не хотелось показаться слишком покладистой.

— Я могу и пересмотреть свое решение.

— Но ты этого не сделаешь. Тебе слишком хочется иметь тот участок.

— Ты не думал, что у меня могут быть какие-нибудь другие... обязательства?

— Кто-нибудь ждет тебя в Далласе?

Дэни отвела глаза. Она могла соврать и сказать «да», но какой от этого прок? Он вовсе не собирался ее отпускать.

— Нет.

— Никто?

— Никто.

Похоже, это его очень обрадовало, однако он не подал виду.

— Для человека, который не голоден и обычно мало ест по утрам, ты здорово расправилась с едой. — Логан кивнул на пустую тарелку перед ней.

— Я не думала, что у меня вдруг появится такой аппетит, — обескураженно призналась Дэни.

— А у меня прямо-таки страшный аппетит, — многозначительно сказал Логан. Он легонько дотронулся губами до ее рта. — Скажи, Дэни, а ты когда-нибудь мечтала обо мне? За эти десять лет вспоминала ли о наших поцелуях, о трепете в теле, который они вызывают?

Под градом поцелуев думать было почти невозможно, но все же она сумела прошептать:

— Несколько раз.

— А я думал об этом все время... В первые наши свидания я вообще не мог собраться с духом поцеловать тебя... Боялся испугать... А потом, когда решился, растерялся. Я помню, как первый раз проник в твой рот языком.

Она тихонько застонала, и это была мольба о том, чтобы воплотить слова в действия. Губы Логана дразнили ее, готовясь к нежной атаке. Когда атака началась, Дэни мгновенно сдалась и обвила руками его шею. Она ответила на поцелуй, и началось взаимное узнавание.

Наконец Логан оставил в покое ее рот и запечатлел поцелуй на шее.

— Я возбуждался, едва начинал думать о твоих поцелуях, — хрипло пробормотал он.

— Логан!

— Не делай вид, что шокирована. Ты должна была знать.

— Порядочные девочки не думают о таких вещах.

— Лгунишка.

Она неожиданно для себя засмеялась, вспомнив то время, когда, сидя на занятиях, думала о Логане.

Логан ткнулся лицом в вырез халата, его язык коснулся ее ключицы. Колючий подбородок деликатно потерся по нежной коже.

— Дэни!

— Гм?

— Ты занималась когда-нибудь любовью, сидя в плетеном кресле за столом?

— Нет, — рассеянно ответила она.

— Сейчас это может произойти с тобой в первый раз, если ты не перестанешь ерзать своей аппетитной попкой у меня на коленях.

— Ой! — воскликнула Дэни, вскакивая на ноги. Щеки ее мгновенно покрылись румянцем. — Я вовсе не хотела... Я просто...

— Да ладно тебе! — Логан поднялся и, несмотря на сопротивление Дэни, прижал ее к себе. — Я ведь не жаловался. Просто счел необходимым предупредить тебя.

— Ну что же, ты это сделал. — Она освободилась от его объятий и постаралась придать лицу выражение, подобающее женщине, которая полностью владеет собой и всей ситуацией в целом. — Не желаешь помочь мне управиться с посудой?

У него подрагивали губы от сдерживаемого смеха, но он принял ее предложение с такой же серьезностью, с какой оно было сделано.

— Очень любезно с твоей стороны. Спасибо.

Когда с мытьем посуды было покончено, Логан провел Дэни по лестнице в комнату, находившуюся напротив той, где она провела ночь.

— Это апартаменты хозяина, — сказал он, сделав широкий жест рукой.

Комната была огромной, с большой кроватью у стены и множеством полок с видео- и стереоаппаратурой и книгами. Возле латунного камина в углу стояли два небольших кресла. Окна выходили на изумрудное пастбище и сосновый лес. Стоя у двери, Дэни имела возможность заглянуть в ванную комнату. Сравнивать ее размеры с ванной в комнате для гостей — это все равно что сравнивать олимпийский бассейн с детским лягушатником.

— Как тебе здесь нравится?

В глаза бросилось меховое покрывало. Оно было толстое и пушистое. И очень гармонировало со всей обстановкой, что говорило о вкусе хозяина.

— Очень... мило.

Логан доброжелательно улыбнулся:

— По-моему, ты не совсем в этом уверена. Что-то не понравилось?

— Нет-нет! — энергично возразила она. — Очень здорово!

— Это все предназначается для двоих людей.

— Понимаю, — тихо проговорила Дэни. По тому, как Логан подошел к ней, она почувствовала, что лишь усилием воли он заставил себя прервать разговор на эту тему.

— Вот твои чемоданы, — сказал он. — Я взял ключ от машины в твоей сумочке, а потом положил его обратно.

— Спасибо. — Она взяла сумку и направилась в комнату для гостей. Логан с чемоданами последовал за ней. Дэни не могла понять, довольна она или разочарована тем, что он не оставил чемоданы в апартаментах хозяина.

— Полагаю, что в ванной есть все, что положено. Но если чего-то не найдешь, скажи мне.

— Непременно.

Он дотронулся рукой до ее щеки. Нежно притянув к себе, поцеловал в губы, затем коснулся щеки, уха. И, не сказав более ни слова, ушел, тихо притворив за собой дверь.

Роскошный, толщиной в дюйм ковер поглощал шаги босых ног. Грудь у нее ныла в ожидании ласк. Соски стали твердыми. Между ног было жарко и влажно. Сердце гулко стучало. Ее всю трясло.

И в этот момент он покинул ее.

— Черт бы побрал его самого и его дурацкие игры...

жающий душ их отнюдь не укрепил. Нет, больше она так не может, нужно побыстрее одеваться и уезжать. Однако, взглянув на цветы и записку, Дэни вздохнула и поняла: сколько бы ей потом ни пришлось жалеть об этом, она останется.

Дэни села в лифчике и трусиках на пуфик перед туалетным столиком. Зеркало было окаймлено лампочками, так что делать макияж

женщин рас-

ные и

..., сказала она в пустоту, направля-... ванную. Как только примет душ и наденет на себя что-нибудь более существенное, нежели этот халат, то непременно выскажет свое мнение о придуманной Логаном сделке. И затем уедет в Даллас.

Но, войдя в ванную комнату, Дэни сразу же увидела там букет роз, который не разглядела со сна. В хрустальной вазе стояли превосходные, едва распустившиеся желтые бутоны. И рядом записка. Она взяла ее и прочла: «На твоем теле, пока ты спала, я обнаружил удивительно аппетитные, нежные местечки».

Дэни вдруг стало жарко. Она спала обнаженной, потому что ничего, кроме влажных трусиков-бикини, у нее не было. Во сне ей снился Логан, его поцелуи, ласки. Так, может быть, то были вовсе не фантазии, не сны, а реальность?

Дэни ощущала слабость в ногах, и осве-

очень удобно. Интересно, сколько женщин смотривали себя в это зеркало, размягченные, довольные, после того как переспали с Логаном?

При мысли об этом Дэни испытала болезненный укол ревности и нахмурилась, но тут же приоткрыла от удивления рот, увидев в зеркале, что дверь в ее комнату открылась. Появился улыбающийся Логан, на котором не было ничего, кроме трусов. Очевидно, он тоже только что принял душ — его тело и волосы были влажными.

— Следовало бы постучаться. — Дэни инстинктивно прикрыла рукой грудь, которую не смог вобрать в себя прозрачный лифчик — он скорее приподнимал эти аппетитные округлости для лучшего обозрения.

— Прости. — Судя по улыбке Логана, никаких угрызений совести он при этом не испытывал. — Я много раз фантазировал, как мы с тобой, муж и жена, вместе одеваемся. Поэтому для меня было естественным войти без стука... Правда, ни в одной из своих фантазий ты не пыталась прикрываться. Это ведь глупо — я уже видел тебя.

Раздраженная тем, что он спокойно и непринужденно стоит, опершись о дверной косяк, Дэни опустила руку и взялась за карандаш для бровей, решив принять такой же невозмутимый вид, какой напускал на себя Логан.

— Мне кажется, у тебя есть серьезная психологическая проблема. Ты имеешь явную склонность раздеваться и дефилировать в обнаженном виде.

— Корень моей серьезной психологической проблемы, как ты выражаешься, в том, что я рос в маленьком доме вместе с родителями, сестрой и братом. Так что не было места для взращивания повышенной стыдливости.

Дэни готова была прикусить несдержанный язык и сокрушенно посмотрела на Логана в зеркало. Она знала, что ему неприятно говорить о своем происхождении, поэтому сказала:

— Очень красивые цветы.

— Как и ты сама во время сна.

Дэни вновь смутилась.

— Значит, ты... гм... видел...

— Да.

— И... гм...

— И это было. Я бессовестно дотрагивался до твоих прелестей. — Он преодолел разделяющее их расстояние и опустился позади нее на колени. Логан положил свежевыбритый подбородок на плечо Дэни, прижался щекой к ее щеке и взглянул в зеркало. В его глазах туманилось желание. — А тебя в самом деле шокирует моя нагота?

— В самом деле? — со смешком переспросила она. — Нет.

Логан облегченно улыбнулся:

— А уж твоя, можешь быть уверена, меня никак не шокирует. — Он провел руками по ее плечам, задержался на округлостях груди. Дэни зачарованно наблюдала за тем, как двигаются его сильные загорелые руки. — Какая ты на ощупь... Боже, это бесподобно, Дэни!

Он трогал и сжимал ее грудь решительно, по-хозяйски. Прозрачный кружевной лифчик не мог служить ему преградой. Соски набухли, затуманенным взором Дэни наблюдала за тем, как ласкают ее его пальцы. Медленно. Быстрее. Взад и вперед. Описывая круги. Она испытала отчаянное, сладостное возбуждение и почувствовала, что ласки стали нежнее и спокойнее.

Дэни бессильно опустила руки и прижалась к нему. Закрыв глаза, она прерывисто дышала. Карандаш для бровей бесшумно упал из ослабевших пальцев на ковер.

— Тебе нравится, что я делаю?

— Да.

— Нежнее? Энергичнее?

— Нет... нет... так хорошо...

Он шептал ей какие-то сумасшедшие слова о цвете кожи и форме груди.

— Привлекательная, изящная... женственная. Ты можешь в какой-то момент соблазнить этой грудью любовника, а в следующий — кормить ею ребенка.

Он наклонился к ее губам, и они слились в долгом поцелуе. Его язык скользил в глубинах рта, пальцы продолжали нежно пощипывать, ладони — гладить и ласкать грудь.

Наконец Логан со стоном оторвал от Дэни руки и повернул лицом к себе. Уткнувшись ей в шею, он пробормотал:

— Ты моя жена, Дэни. Моя жена, ты слышишь? Моя жена...

Он повторял это долго и много раз и, казалось, не собирался выпускать ее из своих объятий.

Когда все-таки отпустил ее, оба смутились. Дэни бросила взгляд в зеркало и поправила лифчик. Стоя за спиной и мягко улыбаясь, Логан прижал ее затылок к своему животу и стал гладить подбородок. Наконец она осмелилась встретиться с его взглядом в зеркале.

— Я увлекся, — негромко проговорил он. — Сейчас я оставлю тебя, чтобы ты оделась. Мы не должны опаздывать.

— Опаздывать? Куда?

— Если ты не поторопишься, мы не успеем к одиннадцати часам.

— Куда же мы пойдем?

— Как — куда? Сегодня же воскресенье. Мы пойдем в церковь.

— Не могли бы мы расположиться на балконе?

Она старалась говорить тихо и в то же время улыбалась, чтобы скрыть досаду. Логан провел ее по центральному проходу до третьего ряда.

— Это мое постоянное место. — Он приветливо кивнул привратнику, который сердечно пожал ему руку и вручил памятку с распорядком службы.

— Ты часто здесь бываешь?

— Каждое воскресенье, — с благочестивым выражением лица произнес он. — А разве ты не посещаешь церковь? Или слишком занята своими благотворительными делами?

Шутка была слишком ядовитой. Он понял это тотчас же, увидев, как потемнело лицо и напряглось все тело Дэни.

— Тебе не следует отпускать шуточки по поводу моей работы, Логан... О чем угодно, только не об этом.

— Прости. Я вовсе не хотел принизить ее значение.

Он сказал это с такой искренностью, что Дэни мгновенно простила его. Она даже позволила себе улыбнуться.

— А что касается твоего вопроса, то — да, я посещаю церковь регулярно.

Он попытался подавить улыбку:

— Я рад, что ты ведешь добропорядочный образ жизни.

— Ты ханжа, — шепнула она, расправляя оборки юбки на коленях.

— Почему?

— Хотела бы я знать, что бы подумал честной народ, узнав об условиях нашей сделки.

— Скорее всего они сказали бы, что я парень не промах.

— А что подумали бы люди о набожности мистера Вебстера, узнав, что я провела ночь под его крышей? Или они уже привыкли к то-

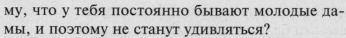

му, что у тебя постоянно бывают молодые дамы, и поэтому не станут удивляться?

В его глазах заплясали озорные огоньки.

— Тс-с, начинается служба.

Раздосадованная напускным выражением благочестивости, Дэни ущипнула его за талию. Логан едва не завопил что есть мочи, однако успел замаскироваться кашлем.

В качестве наказания он сжал ее руку и держал в течение всей службы. Правда, это было не самое худшее наказание. И вообще она даже испытала некий душевный подъем, стоя рядом с ним и слыша его грудной баритон, когда он пел гимны.

Дэни испытывала даже что-то вроде гордости, стоя рядом с ним. Он выглядел великолепно в своем модном, безупречно сшитом темно-синем костюме-тройке. Накрахмаленная рубашка была безукоризненно белой, галстук идеально гармонировал с костюмом и свидетельствовал об отменном вкусе Логана. От него исходил аромат мыла, хорошего одеколона и мятной зубной пасты.

Когда они склонили в молитве головы, Дэни испытала вдруг дотоле неведомое чувство. После того как Логана затолкали в машину шерифа и навсегда увезли из ее жизни, она постоянно молилась о том, чтобы господь ниспослал ему удачу. И сейчас радовалась тому, что он стоит рядом с ней — такой высокий, стройный, сильный... человек, который использовал свой шанс и выиграл.

Дэни на какой-то дюйм приблизилась к Логану, чтобы дотронуться до него. Он поднял руку, положил ей на плечо, легонько сжал его, и Дэни поняла, что они молятся об одном и том же.

После службы Дэни представили людям, с которыми она не была знакома. Она вновь пообщалась с теми, кого знала в юности. Было нетрудно заметить, что Логан пользуется большим уважением в общине. Он ко всем относился весьма дружелюбно, и всякий, кто останавливался поговорить с ним, удостаивался его улыбки.

Когда они продвигались к машине, их едва не сбили трое ребятишек, которые буквально набросились на Логана. Он приветствовал их весело и шумно. За этим выводком появилась Картошка с прикорнувшим на плече малышом. Джерри с доброжелательной улыбкой плёлся позади, словно послушный щенок.

После обмена приветствиями, когда Дэни уже познакомилась с детьми, Картошка плутовски спросила:

— Ну и как вы провели эту ночь?

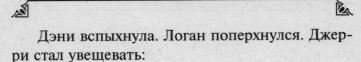

Дэни вспыхнула. Логан поперхнулся. Джерри стал увещевать:

— Картошка, мы еще на территории церкви. Опять же, тут дети.

— Но ведь я хочу знать, — упорствовала Картошка, переводя взгляд с Логана на Дэни и пытаясь оценить ситуацию. — Ты собираешься на какое-то время остаться, Дэни?

— Я...

— На какое-то время, — ровным голосом произнес Логан и по-хозяйски положил руку на плечи Дэни.

— А где ты остановилась? В мотеле?

— Пока, Джерри и Картошка! — Логан развернул Дэни, чтобы увести ее.

— Но... послушай, ты ведь не сказал!

— До свидания, Картошка! — бросил Логан через плечо. Дэни уткнулась ему в грудь и рассмеялась.

Подойдя к машине, они увидели, что Джерри пытается загрузить свое семейство в небольших размеров фургон. Картошка выражала несогласие, малыш хныкал, а дети напоминали хоровод, изображающий вечное движение.

Логан и Дэни дружно посмеялись, затем он завел мотор.

— Так что? В воскресный буфет в деревенском клубе или сандвичи с тунцом у бассейна?

— Какого бассейна?

— Моего.

— Сандвичи с тунцом.

— Тебе придется помочь мне их сделать, — предупредил он.

— Это не так уж и плохо.

Ей в это утро почему-то было трудно удержаться от улыбок. Она не могла припомнить более солнечного, более приятного дня. Ее салат из тунца отличался от того, который делала экономка, но Логан заявил, что салат Дэни ему нравится больше. После легкого ленча они поплавали в бассейне и позагорали. Она задремала в шезлонге и проснулась оттого, что руки Логана скользят по ее бедрам.

— Чтобы не сгорела, — объяснил он, когда она подняла голову.

— Спасибо.

— Мне это только приятно.

И ей было приятно. Смазанные маслом ладони легко скользили по телу, находя чувствительные точки, о которых она даже не подозревала, и вскоре ее тело стало ныть от все возрастающего возбуждения. Первым не выдержал Логан и, пробормотав проклятия, нырнул в бассейн, чтобы охладиться. Она понимала, что его игра дается ему нелегко. При виде мучений

Логана ей стало легче, ибо ее самое сжигал разгорающийся пожар страсти.

На закате, вернувшись после душа, Дэни увидела, что он развел в жаровне огонь.

— Хочешь шиш-кебаб? — спросил Логан.

Сам он тоже только что принял душ. Волосы тщательно вытер полотенцем. На нем были шорты и тонкая прозрачная рубашка, застегнутая лишь наполовину. Дэни имела возможность разглядеть его волосатую грудь и темные соски.

Она причмокнула губами, хотя готова была поклясться, что думала в этот момент не о шиш-кебабе.

— Очень аппетитно!

— Это ты аппетитная, — сказал Логан низким вибрирующим голосом.

Она была одета в платье-халат персикового цвета. Платье доставало до пола, но благодаря глубокому декольте и легкости ткани Логан мог в полной мере оценить изящную и стройную фигурку. В ушах Дэни были золотые кольца, густые волосы струились по спине до талии, что делало ее похожей на языческую жрицу.

— Я насажу на шампур мясо и овощи, если ты согласишься приготовить рис.

— Вполне справедливо.

Кроме этого, она приготовила салат и сделала соус, смешав масло со специями, которые отыскала в буфете. Макнув палец в чашку, куда отлила приготовленный соус, Дэни попробовала его на вкус.

За ее спиной появился Логан и хрипло произнес:

— Дай и мне попробовать.

Видя отчаянный блеск в глазах Логана, она снова макнула палец в чашку и поднесла к его губам. Логан облизал языком аппетитную смесь.

— Сногсшибательно, — пробормотал он. Однако палец ее не отпустил и продолжал облизывать, хотя на нем не осталось и следов соуса.

Дэни внимательно наблюдала за этими действиями, и тем не менее для нее полной неожиданностью оказалось то, что он сделал потом. Логан сунул палец в рот и стал его сосать. Она застонала.

Отпустив наконец ее палец, он приблизил рот к ее уху и шепнул:

— Вот так будет, когда я окажусь внутри тебя, Дэни.

5

обрых пять минут Дэ-
ни казалось, что она
не в состоянии ды-
шать. Ее охватила бу-
ря чувств. Она пыталась казаться холодной,
спокойной, сдержанной, невозмутимой. На
самом же деле после его шокирующих слов
ноги у нее сделались ватными, руки отказывались повиноваться. Дэни все больше убежда-
лась, что ее попытки напустить на себя холод-
ность обречены на провал и она так же, как и
он, изнемогает от желания.

Беседа во время обеда была весьма баналь-
ной. Хотя оба пытались поддерживать разговор, за столом то и дело возникало принужден-
ное молчание. Порой Логан замолкал на сере-
дине фразы. Он жадно ощупывал ее синими,
удивительно поблескивающими при свете свечей глазами. На виске у него ритмично пульси-
ровала жилка.

— Закончила? — спросил он, показывая на тарелку.

Опустив глаза, она с удивлением увидела, что съела почти все, хотя не могла припомнить вкуса еды.

— Да... Очень вкусно.

— Еще вина? — Не дожидаясь ответа, он долил ей вина. — Это можно пить в патио.

Логан встал и помог Дэни выйти из-за стола. Неся бокалы и держась за руки, они отправились на воздух.

— Логан, до чего же красиво! — воскликнула Дэни, войдя в патио. На поверхности бассейна плавали десятки свечей.

— Тебе нравится?

— Да, бесподобно! Волшебное зрелище!

Крохотные мерцающие огоньки были похожи на светлячков, танцующих на зеркальной водной глади.

Логан сел на край бассейна, усадив ее рядом, и, разувшись, опустил ноги в воду. Сбросив сандалии, Дэни последовала его примеру. Края платья-халата она подняла, обнажив колени. Ноги в этом мерцающем свете казались мраморными. Большим пальцем ноги Логан погладил ее стопу.

Повернувшись к ней, он поднял бокал.

— За медовый месяц, который опоздал на десять лет.

Она, улыбаясь, чокнулась с ним, и оба выпили по глотку крепкого вина.

— Почему ты сказал такой тост?

Он задумчиво потрогал ее серьги.

— О медовом месяце, который опоздал на десять лет?

— Да.

— Наверное, десять лет назад ты не воспринимала бы брачную ночь столь спокойно. Я полагал, что мне понадобится обхаживать тебя несколько ночей, пока ты смиришься с «брачным актом».

Это потрясло Дэни.

— Ты так считал?

— А разве было бы не так?

— Нет.

Теперь пришла очередь удивиться ему. Он впился в нее глазами, она же, наоборот, потупила взор:

— То есть, конечно, я немного боялась, но вовсе не тебя... Боялась неизвестности... потери невинности... Но я... я хотела тебя, Логан.

— Ну, наверное, не так, как я тебя.

— Если мы продолжим разговор на эту тему, то поспорим. А мне не хочется спорить с тобой. Во всяком случае, сегодня. День прошел так славно.

— Ты права. Давай говорить о чем-то другом. — Наступила довольно долгая пауза, во время которой они допили вино.

Наконец Логан повернулся к ней и стал смотреть на ее профиль до тех пор, пока она не повернулась.

— Я не могу придумать, о чем нам говорить. А нельзя от всей души пообнимать тебя? — серьезно спросил он.

Дэни рассмешила такая искренность. Придав серьезное выражение лицу, она сказала:

— Я не из таких.

— Господи! — поразился он. — До сих пор?

Дэни посмотрела на Логана и увидела его горящие глаза.

— А ты не сдавайся.

Этого поощрения ему оказалось достаточно. Он вскочил и потащил Дэни за собой. Опустившись на кресло-качалку, второй раз за день посадил ее к себе на колени.

— Удобно?

Она обняла его. Ее пальцы некоторое время перебирали волосы у него на затылке, затем стали ощупывать скулы, подбородок, ямочку, нос. Когда она коснулась губ Логана, дыхание со свистом вырвалось из его груди.

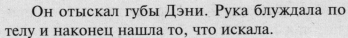

Он отыскал губы Дэни. Рука блуждала по телу и наконец нашла то, что искала.

— Сегодня ты без лифчика?

— Да.

— А почему ты никогда не приходила ко мне на свидания без лифчика?

— Насколько я помню, это не мешало тебе добираться до цели. — Она смущенно уткнулась ему в шею.

— Господи, я тоже помню, — простонал он. — Но все-таки многое значительно упрощается без этих крючков и застежек. Я думаю, что они созданы для того, чтобы приводить мужчин в отчаяние.

Тихий смех Дэни был заглушен новым поцелуем. Рука его продолжала беспрепятственно ласкать грудь и играть сосками, которые превратились в твердые горошинки.

— Как сладко! — Нагнувшись, он стал целовать маковку груди, трогать сосок языком и нежно покусывать зубами.

Какие-то шлюзы внутри Дэни открылись, и дотоле сдерживаемая страсть вырвалась и захватила ее всю без остатка. Она погрузила пальцы в его шевелюру.

— Логан, Логан, ты заставляешь меня гореть огнем...

— Где, любовь моя?

— Везде... Всюду... Грудь...

— А где еще?

Его рука скользнула вниз, к бедрам, и стала их нежно поглаживать. Дэни благодарно застонала. Ладонь Логана легла на ее живот. Он стал мягко постукивать подушечками пальцев по треугольнику трусиков, и Дэни почувствовала, что ей не хватает воздуха.

— Здесь? — шепотом спросил он.

— Да... Да...

Чтобы прийти в себя, Логан прислонился лбом к ее лбу. Рука его замерла, хотя и оставалась на животе Дэни.

— Нет ничего нежнее твоей кожи, — опять же шепотом проговорил Логан.

— А ты и в самом деле дотрагивался до этого места, когда я спала?

— Да. Хотя и не так долго, как хотелось бы.

— Я чувствовала твои прикосновения.

— Тебе было приятно?

— Да. Только я думала, что мне это снится.

— Мне тоже казалось, что все это снится.

Они стали снова целоваться, не скрывая более друг от друга ни страсти, ни желания.

Наконец, оторвавшись от нее, он спросил:

— Ты готова пойти наверх?

Дэни кивнула, и Логан помог ей подняться с его коленей. Она прильнула к нему, он обнял ее за талию. Оба не сказали ни слова, пока не подошли к комнате для гостей. Логан по-хозяйски сгреб Дэни руками и стал яростно целовать.

Она приникла к нему, чувствуя бедрами твердую мужскую плоть. Наконец Логан прервал поцелуи и, заглянув в затуманенные истомой глаза Дэни, произнес:

— Иди спать. Спокойной ночи!

Она не поверила своим ушам! А он и в самом деле отпустил ее руки, повернулся и собрался уходить.

— Куда же ты уходишь? — воскликнула Дэни, напрочь позабыв о всякой гордости.

— Надо помыть посуду.

— Посуду?! Ты хочешь сказать, что не собираешься... не собираешься...

— Не собираюсь — что?

Она вонзила ногти себе в ладони. Ее охватила ярость. Не растолковывать же ему в самом деле, что должно следовать за той любовной игрой, которая до предела распалила их обоих. Они оба все прекрасно знали.

— Ни-че-го! — отчеканила Дэни. — Спокойной ночи.

Она вошла в комнату и с грохотом захлопнула за собой дверь.

— Пропади он пропадом! Я не позволю так

обращаться со мной! Он что, считает меня механической куклой, которую можно выключить, когда взбредет в голову? — Она стала на ходу сбрасывать с себя платье. Даже толстый ковер не мог полностью поглотить шум ее быстрых шагов. — Сейчас же уезжаю!

Влетев в ванную, Дэни принялась запихивать вещи в один из своих чемоданов. И в этот момент ей пришла в голову мысль: если сейчас продемонстрирует ему свой гнев и уедет, Логан поймет, насколько она огорчена тем, что он не затащил ее в постель. Дэни в нерешительности остановилась посреди комнаты, а затем устало опустилась на маленький пуфик.

Раз заключила с ним сделку, надо выполнять оговоренные условия. Логан ясно заявил, что она находится на его территории и обязана выполнять его условия. Если уедет, то не только нанесет удар по остаткам собственной гордости, но и не решит вопроса с лагерем, который так важен для очень многих людей.

Вздыхая, Дэни натянула на себя ночную рубашку и легла спать. Ворочаясь в темноте, она вновь стала поминать Логана недобрыми словами за то, что он зажег в ее теле пожар, который, похоже, не собирался затихать.

Логан, тяжело дыша, прислонился к кухонному столу.

— Болван, упрямый идиот! — пробормотал он.

Логан зажмурил глаза. Когда теперь утихнет этот пожар в чреслах и придет в норму давление?

До него долетал шум шагов наверху. Дэни явно была в бешенстве, и нельзя винить ее за это. Она наверняка решила, что он затеял с ней какую-то дьявольскую игру. Должно быть, считает, что он дразнит, испытывает ее, мстит за те мучения, которые пережил, когда, вместо того чтобы испить радость медового месяца, провел несколько дней в заключении.

«Да нет же, Дэни, нет! Причина совсем не в этом. Разве здравомыслящий человек станет из-за этого подвергать себя подобным физическим мучениям? Но тогда какого черта я хочу? Чего жду? Объяснений в любви? Обещаний?»

Допустим. Однако...

Дэни в его доме. В постели. Дэни... Его Дэни... Она сейчас умирает от желания. Дэни так прижималась, что только дурак мог уйти от этих объятий. Открытый для поцелуев рот... Ее руки, грудь, нежный живот... О боже!

Логан вцепился руками себе в волосы.

— Какого черта ты не взял ее? — громко спросил он самого себя.

А потому, что тогда условия сделки будут выполнены. Он не вынесет ее отъезда после того, как она получит участок земли. Господи, он так хотел ее! Но хотел большего. И до тех пор, пока не удостоверится, что получит все, что ему нужно, придется терпеть эти адские муки.

Дэни сделала попытку отодвинуться от того, что щекотало ей ухо. Что-то мягкое и нежное, похожее́ на лепестки розы.

Она заставила себя открыть глаза. Сквозь прозрачные шторы на стену напротив кровати падали солнечные лучи. Рядом находилось что-то теплое. Зевнув, снова закрыла глаза.

Лишь теперь она ощутила блуждающий влажный язык на своем ухе и ласкающие губы на шее. Повернувшись, сбросила с себя остатки сна.

— Что ты здесь делаешь?

— Я здесь живу. — На лице Логана сияла ослепительная улыбка. Он был одет. Опершись на локоть, полулежа рядом с ней на кровати, Логан напоминал ленивого порочного хозяина гарема, который пришел позабавиться с одной из своих наложниц.

— А у твоих гостей нет права на личную жизнь?

Он повертел в руках розу, которой только

что щекотал ухо, понюхал и бросил лепестки в вырез ночной рубашки Дэни.

— Ты все еще сходишь с ума.

— Я не схожу с ума! — Тон ее явно противоречил произнесенным словам.

— Ты расстроилась из-за того, что я не стал спать с тобой этой ночью?

— Разумеется, нет. — Ей хотелось, чтобы он слез с кровати. Под тяжестью его немалого веса матрас провис, и она невольно соскользнула к Логану. С каждым прикосновением становилось все труднее находить в себе силы отодвинуться подальше.

Логан взял в руку прядь ее волос и погладил их пальцами.

— Дэни, ты спешишь выполнить условия нашей сделки и уехать?

Она оставила попытки отодвинуться от него. Теперь это было бесполезно, поскольку он, отбросив розу, положил руку ей на бедро. Даже через покрывало она ощущала жар ладони.

Дэни упрямо не желала отвечать на его вопрос. Она хотела переспать с ним вовсе не из-за сделки. Она просто хотела его. Неужели он не видит этого? А если не замечает, то она не намерена просвещать его на этот счет. Кое-какая гордость у нее еще осталась.

Логан дотронулся до ее щеки, затем до нижней губы.

— Я не лег с тобой в постель потому, что думал еще немного поухаживать. Мне хотелось, чтобы это было нечто большее, а не просто сделка. Я надеялся, что ты сама этого захочешь.

Да она вчера едва не расплавилась и не превратилась в лужу на его богатом ковре! Можно ли верить ему, что он воздержался из благородных соображений, или же валяет дурака в силу каких-то порочных мотивов?

— Разве тебе плохо здесь со мной? — спросил Логан.

— Хорошо, — нехотя призналась она.

— Тогда у меня есть еще один грандиозный план на сегодня. Оденься во что-нибудь простое. Скажем, в джинсы, если ты их захватила с собой.

— Да, захватила.

— Отлично. Я оставлю тебя, а ты одевайся.

— Куда мы собираемся?

Логан поднялся с кровати и направился к двери.

— Я подумал, может, тебе интересно взглянуть на собственность, за которую ты отдаешь свое тело.

Она не обиделась. Логан выглядел обезоруживающе красивым, когда улыбался. Он бесовски подмигнул ей и скрылся за дверью.

Дэни вскочила с кровати и стала быстро одеваться. Спустя полчаса она встретилась с Логаном в кухне, одетая по его просьбе в джинсы и в просторную хлопчатобумажную рубашку с подвернутыми до локтей рукавами, длинный низ которой завязала узлом на талии. Волосы Дэни собрала в конский хвост.

— Я успешно прошла осмотр? — спросила она, когда Логан, внимательно оглядев ее наряд, оторвал взгляд.

— Да, — хмуро сказал он.

— Как понимать этот тон? — поинтересовалась Дэни.

— А так, что даже в этом простом наряде ты выглядишь словно из журнала мод.

Ее несказанно порадовал комплимент, и, принимая из его рук чашку с кофе, она чмокнула его в щеку.

— Так что в этом плохого, если я выгляжу хорошо в простом наряде? Ворчун ты несносный!

— Говоришь, простой? Вот он, простой!

Он сделал шаг назад и развел руки, демонстрируя свой наряд — мягкую хлопчатобумажную рубашку-ковбойку, линялые джинсы в обтяжку с обтрепанными штанинами, заляпанные грязью ковбойские ботинки. Выглядел Логан великолепно, и ее сверкающие глаза сказали ему об этом.

— Господи, когда ты смотришь на меня так, как сейчас, я становлюсь чуточку сумасшедшим. — Он обнял ее и крепко поцеловал. Дэни почувствовала, как Логан прижался к ней, и приникла к нему.

Логан со стоном отпустил ее и отступил на шаг.

— Мы так никогда не выберемся. Ты можешь проглотить сейчас с полдюжины булочек с брусникой?

— Только булочек? — кисло спросила она.

— На завтрак только это. — Он повернулся за тарелкой, и она улыбнулась. Как бы ни пытался Логан демонстрировать ей самообладание, видно было, что он весь полыхал внутри. Она хорошо помнила, каково было ей вчера вечером, и могла себе представить, чего стоило подобное воздержание Логану.

— Готова? — спросил он через несколько минут.

Кивнув, она собрала последние крошки и отправила их в рот. Глядя на нее, Логан засмеялся и смачно шлепнул по попке, когда она шла мимо него, направляясь к двери.

Вчера они приехали в церковь в блестящем

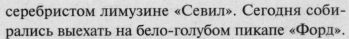

серебристом лимузине «Севил». Сегодня собирались выехать на бело-голубом пикапе «Форд».

— Карета ожидает вас, принцесса. Об этой поездке вы сможете рассказать вашим далласским друзьям из общества.

— Это такая роскошь — ехать в пикапе, — величественно изрекла Дэни.

Они были в игривом настроении и по дороге много смеялись. В общем, она знала, как добраться до его владения в графстве Хэнкок, но он отправился кружным путем, с гордостью демонстрируя ей многообразие своих деловых интересов. Они проехали мимо лесопильного завода, которым некогда владела компания ее отца и который теперь принадлежал Логану. Он показал ей здание коммерческого центра, сдаваемого в аренду бизнесменам. Они миновали густой лес и обширное пастбище со стадами скота, также принадлежавшие Логану.

Наконец свернули на узкую проселочную дорогу, вскоре перешедшую в нерасчищенную тропу.

— Теперь ты поймешь, почему нам нужно было ехать в пикапе, — сказал Логан, когда они остановились перед деревенскими воротами. Дэни выпрыгнула из машины, чтобы открыть их, и Логан въехал за ограждение. Затем они

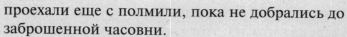

проехали еще с полмили, пока не добрались до заброшенной часовни.

— Логан, да здесь просто замечательно! — воскликнула Дэни, выскакивая из машины.

Он посмотрел на нее с явным недоверием. Эти обветшавшие, полуразрушенные здания никак нельзя было назвать замечательными.

— Здесь страшнее, чем в аду, — без обиняков заявил он.

— Тут так много чего можно сделать! Да-да! — решительно заявила Дэни и, схватив его за руку, потащила за собой. — В этой старой часовне надо устроить комнату отдыха и мастерскую... А вон в том здании будет столовая. Давай посмотрим, где можно оборудовать спальни.

Не менее часа они осматривали здания, в которых уже долгие годы не бывали двуногие, зато нашли убежище различные четвероногие.

Плавательный бассейн демонстрировал богатейшее разнообразие грибков. Спортивные поля заросли сорняками. Дэни была полна энтузиазма, Логан осторожен.

— Что ты собирался с этим делать? — спросила она, раздосадованная отсутствием у него воображения.

— Ничего. Просто я мог бы через несколько лет продать эту землю с большой выгодой, даже если бы не приложил к ней руки... А ты уверена, что из этого можно сделать что-то путное?

— Если будут пожертвования на строительные материалы, то бесспорно. Конечно, предстоит поработать в поте лица... Логан, мне в самом деле это страшно нравится!

Дэни на мгновение обняла Логана, а затем рванулась осмотреть что-то еще.

— Не дождусь, когда можно начать работы, — сказала она, бросая прощальный взгляд на лагерь через заднее стекло пикапа, когда Логан наконец-то убедил ее, что им пора уезжать. — Я хочу, чтобы все было готово к следующему лету и мы могли бы все делать по полной программе.

Логан долго и пристально смотрел на Дэни.

— Это так много значит для тебя?

Дэни взглянула на него.

— Да! — горячо сказала она. — А тебя это удивляет, Логан? Как же ты можешь заявлять, что любишь меня, в то же время считая, что я не способна бескорыстно сделать что-то полезное для несчастных, обделенных судьбой детей?

— Я вовсе не считаю, что ты не можешь испытывать жалости...

— Дело не в жалости. К работе я подхожу

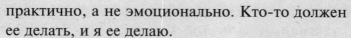

практично, а не эмоционально. Кто-то должен ее делать, и я ее делаю.

— Я просто не могу понять, как ты, воспитанная в привилегированной семье, можешь возиться с бедными, убогими детьми. Особенно если принять во внимание степень твоей увлеченности... Выписать чек — это одно. Но принимать такое живое участие, выполнять грязную работу...

— Некоторые из детей не обделены материально. Они выходцы из богатых семей. Но синдром Дауна не знает классовых различий.

— Это тонкий намек и упрек в мой адрес?

— Если только ты сам что-то почувствовал...

— Прости, Дэни. — Он затормозил у ворот и повернулся к ней. На лице его появилась виноватая улыбка. — Наверное, ты права. Я похож на чванливого сноба.

— Но ты мне все равно нравишься. — Она коснулась его волос.

Наклонившись, Логан поцеловал ее.

— Знаешь, я отчаянно проголодался.

Дэни согласно промычала.

— Как насчет ленча?

— Разве можно говорить сейчас о ленче? — возмутилась она.

— Ты считаешь, что я способен быть романтичным на пустой желудок?

— Ну хорошо. Что бы ты предпочел на десерт?

— Мне хотелось бы обсудить это с тобой, — сказал он, взглянув на золотые наручные часы, — но если мы не поторопимся, то можем опоздать.

Немного проехав, Логан остановился посреди дороги.

— Где мы? — удивленно спросила Дэни, когда он помогал ей выйти из машины. — Я думала, что мы... А это что? Лошадь?

Логан покрутил головой и, увидев кобылу, привязанную к нижним ветвям дерева, заявил:

— По-моему, точно лошадь. Но это, как ты понимаешь, лишь мое личное мнение.

— Ну-ну, ты! — Дэни помахала рукой перед его лицом и направилась к лошади. На ней была уздечка, но не было седла. — Как это она вдруг появилась здесь из ниоткуда? Да к тому же, кажется, возле нее еще и корзина с едой.

— У меня есть очень хорошие люди, которым я плачу.

Дэни огляделась, но не увидела ни малейших признаков чьего-нибудь присутствия.

— Но я не вижу никаких рабочих.

— Вот потому они и хорошие, — усмехнулся Логан. — Мои помощники должны быть невидимыми. Я хотел, чтобы все было как в кино. Представляешь? Когда из ниоткуда вдруг появляется корзина с едой, а с неба начинает звучать музыка... Что-то вроде этого.

Она закусила губу, чтобы не рассмеяться. Впрочем, все это ей очень понравилось.

— Вот только эти волшебники кое-что позабыли. Я вижу только одну лошадь.

— Наоборот, они в точности выполнили мои инструкции. Тебе придется ехать со мной.

— Понятно. — Она снова посмотрела на лошадь и, скрестив руки на груди, спросила прокурорским тоном:

— А кто даст гарантию, что я не свалюсь, если поеду на неоседланной лошади?

Он улыбнулся плутовской улыбкой:

— Я намерен держать тебя таким образом, что ты не упадешь.

— А корзина с едой?

— О ней позаботишься ты. Твои руки будут заняты ею, а мои...

— Удерживать меня, чтобы я не упала, — закончила она вместо него.

Логан пожал плечами:

— Вроде того.

Через несколько минут они въехали в лес. Сквозь кроны деревьев пробивалось солнце, погода стояла отменная, и Дэни было совершенно не важно, куда они направлялись. Хорошо вышколенной лошадью Логан управлял лишь с помощью легкого нажатия коленями, а потому руки его были совершенно свободны. Дэни протестовала против его дерзких ласк, но не слишком; во всяком случае, остановить его ей не удавалось.

Они выехали на заросшую изумрудной травой поляну, окруженную высокими ореховыми деревьями с разлапистыми ветвями. Сняв Дэни с лошади, Логан первым делом расстелил покрывало, которое было предусмотрительно уложено в корзину. Затем стал вынимать еду.

Это был не какой-нибудь обычный, заурядный пикник. Они ели сандвичи с куриной грудкой и булочки с кунжутом, картофельный салат, оливки и пикули, приправленные пряностями яйца. На десерт слоеные пирожные с орешками. Все это запивали белым вином, которое «добрая волшебница» оставила в ведерке со льдом под ореховым деревом.

— Ты не прав, — расслабленно сказала Дэни, прислонившись спиной к стволу дерева. — Это лучше, чем в кино.

— Ты так считаешь?

— Гораздо лучше. В кино никогда не едят столь сытно и вкусно.

Она отправила последнюю маслину в рот и
стала лениво ее жевать, глядя на Логана, который растянулся на покрывале. Мысли у нее
путались, но владевшие ею чувства и желания
были пугающе определенными. Дэни понимала, что пьяна от вина, от солнца, от Логана. Она
нисколько не собиралась противиться истоме,
которая овладела ею.

— Если ты всегда так плотно ешь, как тебе
удалось не растолстеть?

Он похлопал себя по плоскому животу.

— Ты находишь, что я в хорошей форме?

Она пододвинулась к нему, лукаво дернула
за рубашку, вытащила ее конец из-под пояса и
заглянула под нее.

— Ты выглядишь вполне подходяще, — шут-
ливо сказала Дэни. Однако, когда их взгляды
встретились, она поперхнулась: его глаза лихорадочно блестели.

— Потрогай меня, Дэни. — Логан лежал,
подложив руки под затылок. Просьбу свою он
произнес таким тоном, что отказать ему было
невозможно.

Ей вдруг стало страшно, потому что ее желание полностью совпадало с его и не уступало
по силе. Не спуская с него глаз, она отрицатель-
но покачала головой.

— Потрогай, — хрипло повторил он просьбу. — Как далеко ты способна пойти, Дэни? — Это прозвучало как вызов, на который она не могла не ответить.

Дэни была в смятении, однако, собрав все силы, положила руку ему на грудь и сделала несколько движений вверх-вниз. Затем, не отрывая взгляда от лица Логана, стала на ощупь расстегивать пуговицы рубашки.

Кончики ее пальцев соприкасались с его кожей, с колечками волос. Он был такой теплый, такой живой. Даже в неподвижном, спокойном состоянии Логан, казалось, излучал страстность, которая через кончики пальцев вливалась в кровь Дэни, отыскивая в ее теле самые уязвимые, самые жаждущие уголки. Соски Дэни набухли, сладостно заныло в низу живота.

Когда все пуговицы были расстегнуты, она распахнула рубашку. Было так мучительно приятно смотреть на эту мускулистую, волосатую грудь. Жадными пальцами Дэни стала расчесывать веер волос, ощущая ладонью тепло его кожи и стук сердца.

Соски его были темными и плоскими, однако, когда Дэни прошлась по ним пальцами, они мгновенно набухли и затвердели. Логан глубоко вздохнул. Дэни взглянула ему в лицо: челюсти сжаты, глаза закрыты.

— Хочешь, чтобы я перестала? — шепотом спросила она.

— Упаси бог! Я хочу, чтобы ты продолжала, Дэни. Доведи меня до умопомрачения. Сделай так, чтобы я стал сходить с ума от желания!

Хорошо, она это сделает. Добьется того, чтобы этот неповторимо замечательный день закончился в постели. Отбросив колебания, Дэни наклонилась над Логаном. Волосы коснулись его тела. Он сжал их в кулаке и застонал.

Дэни робко поцеловала его шею, затем грудь, постепенно опускаясь все ниже. Это были легкие, почти воздушные поцелуи. Она почти не касалась его тела, он ощущал скорее лишь ее дыхание. Затем губы отыскали соски. Дэни помедлила. Решится ли она попробовать сосок языком, как ей того страшно хотелось? Она решилась.

— Боже! — выдохнул Логан.

— Тебе хорошо или плохо?

В другой раз подобный вопрос, произнесенный дрожащим голосом, насторожил бы его, но сейчас Логан был не в состоянии рассуждать. Он лишь еще крепче сжал ее волосы.

— Ну, конечно, хорошо, Дэни! Чертовски хорошо!

Дэни прижалась щекой к его животу, который вздымался и опускался при дыхании. Она стала пощипывать губами полоску светло-каштановых волос, которая проходила через пупок. Затем попробовала углубление языком. Эта ласка одинаково возбудила и его, и ее.

Дэни закрыла глаза и плотно сжала веки. Ей всегда хотелось потрогать его, но не хватало смелости. Ее интересовала та часть Логана, которая делала его мужчиной и представляла собой тайну. Она хотела познать то, что выражает мужскую сущность, являет собой источник силы и жизнеспособности.

Рука скользнула ниже пряжки к застежке джинсов. Дыхание замерло. Дэни отважно положила ладонь на твердую выпуклость. В напряженном молчании прошло несколько секунд. Собрав всю свою волю, она медленно провела пальцами и одновременно запечатлела жаркий, влажный поцелуй в живот.

Логан прохрипел то ли проклятие, то ли молитву. Его большая ладонь накрыла ее руку и погладила тыльную сторону ладони.

— Ты решилась, Дэни. — Он с трудом поднялся, заключил ее лицо между ладонями. — Ты довела меня до предела... Больше я не в состоянии ждать... Поехали домой.

ни возвращались молча. Казалось, Логан был способен в любой момент взорваться. Дэни не осмеливалась даже говорить, чтобы не заводить его. Невооруженным глазом было видно, насколько Логан напряжен.

— Я думаю, мы организуем обед попозже. — Он отпер дверь и пропустил Дэни вперед.

Она обернулась, увидела подернутые дымкой глаза Логана.

— Отлично. Я не голодна.

— Я... Мне нужно кое-что сделать здесь. А тебе лучше подняться наверх, я присоединюсь попозже.

— Ладно. Договорились.

Он дотронулся до ее щеки.

— Я долго не задержусь.

Поднимаясь по лестнице, она вдруг поняла, что уедет... Сейчас, немедленно... Пока ничего не произошло. Пока она еще может оставить его и не разодрать в клочья свое сердце. Дэни вошла в комнату для гостей, закрыла за собой дверь и прислонилась к ней спиной. Хватит ли у нее сил снова покинуть его? Она прижала ладони к вискам.

Боже, ей так хотелось остаться. Она мечтала разделить с Логаном не только ложе, но и любовь, которую хранила в течение этих десяти лет.

Ее сердце и душа могли бы принадлежать ему, если бы он того захотел. Это не преходящая фантазия, не звезда, которая вспыхивает и сияет в течение считаных мгновений, перед тем как сгореть. Она любила Логана и не хотела его покидать. Но вынуждена это сделать. У Логана здесь своя жизнь. У нее в Далласе своя. И эти жизни объединить невозможно.

Но хватит ли у нее сил уехать от него, от его нежности и любви? А будет ли он таким же ласковым, деликатным, когда удовлетворит страсть?

Не была ли она излишне наивной? У Логана вовсе не столь идеалистический взгляд на любовь. Он больше не был розовощеким Ромео, безоглядно влюбленным в свою Джульетту. Не был женихом, предвкушающим брачную ночь, когда лишит ее невинности и сделает своей женой.

Логан знал множество женщин. Он брал их и затем расставался с ними, когда они ему надоедали. Для него это будет не акт любви, а лишь уплата давнего долга. Если он действительно любил ее, почему до сих пор не разделил с ней ложе? Разве не ясно, что Логан тянет время, сдерживает свою страсть, ведет с ней игру, готовит ее к закланию, словно одну из своих коров?

Нет, она не бессловесное животное, которое в блаженном неведении отправляется на бойню! Дэни почувствовала, как в ней созревает гнев, и была от души рада этому. Гнев придаст ей силы, и она начнет действовать так, как положено. Собирая свои вещи и рассовывая их по чемоданам, Дэни подогревала себя подобными горестными размышлениями.

Способен ли Логан проникнуться проблемами больных детей? Нужно дать ему возможность остыть и лишь затем вступить с ним в контакт. И если он откажется продать этот участок — участок, который никак не используется, — она вообще не желает его знать.

Дэни не хотела конфронтации. Даже сейчас она может изменить свое решение, если увидит его. Упаковав вещи, она тихонько приоткрыла дверь и прислушалась. Полная тишина... Дэни крадучись спустилась по лестнице, стараясь не обращать внимания на сердце, которое вдруг тоскливо сжалось. Она не думала о мужчине, которого покидала. Для нее сейчас главное заключалось в том, чтобы сбежать без скандала.

Что приносит джентльмен в будуар леди после полудня? Логан задумался. Он прошел в купальню, решив принять душ здесь, а не в своей спальне. Логан боялся, что, если опять приблизится к Дэни, он не совладает с собой и испортит задуманную романтическую прелюдию.

Он улыбнулся, доставая из шкафа плавки. Должно быть, Дэни сейчас тоже озабочена тем, что ей надеть. Предпочтет ли она пеньюар? Или же предстанет в ночной рубашке? А может, будет ожидать его, укрывшись простынями, совершенно нагая?

При этой мысли на его теле выступили бисеринки пота. Чтобы охладиться, плеснул туалетной воды себе на лицо, шею и грудь. Он вспомнил, как ее губы касались его кожи, и почувствовал, как дрожат руки.

Достаточно ли времени он ей предоставил? Не мечется ли она сейчас, опасаясь, что не успеет подготовиться к его приходу? Или, может быть, наоборот, заждалась и досадует, что его так долго нет? Он хотел, чтобы все было идеально. Ни один жених не ждал брачной ночи целых десять лет.

Логан подошел к холодильнику, в котором гости всегда могли найти пиво и прохладительные напитки. Сейчас он был заполнен розами. Логан выбрал самый красивый бутон, затем достал из буфета бутылку шампанского. Взвесив ее на руке, усмехнулся и присовокупил к ней другую.

— Ночь долгая, работать придется много, и как-то надо будет утолять жажду, — пробормотал он.

Руки его дрожали, и он едва не уронил бутылки, когда выходил из купальни. Он вдруг подумал, что ведет себя по-идиотски. Разыгрывает из себя невинного жениха, который идет к невинной невесте. Но эта глупость оправдывалась тем, что он был влюблен. А влюбленные часто ведут себя подобным образом.

И тут Логан остановился как вкопанный. Он даже не замечал, что раскаленные мраморные плитки обжигают босые ноги. Логан отказывался что-либо понимать: он увидел Дэни, которая быстро шла к машине, неся чемоданы и сумку. Было видно, что она хотела остаться незамеченной. Логан смотрел, как Дэни открыла дверцу, торопливо сунула внутрь чемоданы и быстро села за руль. Заработал мотор. Зашуршал гравий под колесами. Машина рванулась вперед, оставив за собой облачко пыли.

Логан не окликнул ее. Он даже не сделал попытки броситься в погоню. Лишь стоял не шевелясь. Казалось, все в нем умерло. Бутылки шампанского стали запотевать. Роза под палящим техасским солнцем начала вянуть. А он стоял, глядя на то, как оседает дорожная пыль. Людям доводилось видеть в глазах Логана Вебстера холодный гнев, искорки смеха, дымку сочувствия. Но никто никогда не видел, как он плачет.

Не снимая компресса с глаз, Дэни протянула руку к настойчиво звонящему телефону. Кое-как ей удалось поднести трубку к уху.

— Алло! — Никто другой, кроме Логана, в этот момент ее не интересовал. Но это был не Логан. Это была миссис Менеффи из Далласа.

— Дорогая, я так беспокоилась о вас. Я ожидала, что вы приедете по крайней мере пару дней назад.

— Простите. Мне следовало позвонить.

— Ничего страшного, надеюсь? Какой-нибудь дорожный инцидент?

Господи, как же болит голова! Казалось, иголки впиваются прямо в мозг. Слезились глаза. Ныло сердце.

— Да ничего страшного. Просто решила немного задержаться.

— А я все эти дни звонила вам в номер. — В словах миссис Менеффи сквозил легкий упрек. В другое время Дэни рассердилась бы за эту попытку вторгнуться в ее личную жизнь. Но сейчас восприняла намек с полным равнодушием.

— Я остановилась у друзей, — туманно объяснила она, — и вернулась в мотель только сегодня вечером.

— Нас интересует наше общее дело. Вы видели мистера Вебстера?

Логан играет в волейбол. Логан в теплой ванне, вода плещется о его обнаженное тело. Логан сидит за столом напротив, и в глазах отражается свет свечей. Логан на покрывале под ореховым деревом, и блики солнца играют в волосах.

— Да, видела, — хрипло сказала она. Если Дэни не дала вылиться своему раздражению, то женщина на другом конце провода не смогла его скрыть.

— И?..

— И я сказала ему о нашем предложении.

— Ну а он-то что ответил, Дэни? Или вы хотите, чтобы я клещами вытаскивала из вас информацию?

— Извините. У меня страшно болит голова. Я дремала, когда вы позвонили, так что простите мою бестолковость. — Она отчаянно врала, однако пребывала в смятении. Как поведать миссис Менеффи суровую правду о том, что она не выполнила своей миссии?

— Ах, мне так жаль вас беспокоить, дорогая! Если бы не эта срочность, я дождалась бы вашего возвращения.

— Из-за чего срочность?

— Общество «Друзья детей» собирается завтра обратиться к местным промышленникам с просьбой о пожертвованиях. Хотим предстать в лучшем свете. Если мы назовем нескольких влиятельных людей, которые внесли свой вклад в это благородное дело, то, возможно, подвигнем их на более щедрые пожертвования.

— О, я понимаю. — Проклятье! Ей придется сегодня сообщить дурные вести. А если ее спросят, почему Логан Вебстер отказался помочь, как это объяснить?

— Кстати, Дэни, я сегодня ходила в школу продленного дня. — Около года назад Дэни организовала этот центр, чтобы помочь тем родителям, у кого дети отстают в умственном развитии. Сейчас же у детей есть отличное место, куда их могут приводить после школы за дополнительную плату. — Я упомянула о нашей идее организовать летний лагерь, и все пришли в восторг — и учителя, и родители.

— Наверное, вам не стоило говорить об этом. Пока что преждевременно. Не хотелось бы, чтобы люди испытали разочарование, если ничего не получится. — Дэни хотелось обмотать телефонный шнур вокруг двойного подбородка миссис Менеффи и задушить ее.

— Ах, Дэни, это одна из причин, почему мы вас так любим и ценим. Вы так много делаете и в то же время не хотите слышать слова признания. Вы слишком скромны. Я знаю, вам удастся вытянуть это дело. Думаю, мистер Вебстер в качестве первого шага продаст нам этот участок... Так что же он сказал?

На какое-то мгновение Дэни захотелось, чтобы все ее предыдущие проекты не были столь успешными. Так много людей сейчас надеялись на нее. Наверное, следует предложить что-либо взамен. Может быть, поговорить с отцом, чтобы он пожертвовал кое-что из своих неиспользуемых владений?

— Так что же он сказал, Дэни? Или вы опять заснули? Какое было его последнее слово?

— Он... он не сказал «нет», — уклонилась от прямого ответа Дэни.

— Превосходно! Я знала, что мы можем положиться на вас! Я сейчас должна идти. Спокойной ночи!

Дэни устало положила трубку. Она не соврала, но и правдой это не назовешь. Завтра она поедет в Даллас. Сразу по возвращении надо все отрегулировать. Она придумает историю про Логана и выступит с альтернативным планом, который удовлетворит комитет и не разочарует детей и их родителей.

Дэни встала, чтобы натянуть ночную рубашку, и вдруг почувствовала, какая огромная ответственность ложится на ее плечи. Забравшись под одеяло, она стала размышлять, не лучше ли было бы для нее не приезжать в Хардуик. Но что сделано, то сделано. Попытала судьбу и повидала Логана. Урок оказался трудным, но теперь она многое поняла. А главное, она поняла, что не стоит возвращаться к перевернутым страницам своей жизни.

Дэни услышала звук поворачиваемого замка и открыла глаза. Было утро. Из-за тонких штор пробивался свет. Дэни повернулась на бок и увидела, что дверь приотворена. Правда, накинутая цепочка не давала ей открыться полностью.

— Горничная? — сонным голосом спросила Дэни. — Попозже, пожалуйста.

Цепочка натянулась под ударом ноги в дверь. Винты, которыми цепочка была прикреплена к косяку, вылетели, и на пороге возник Логан.

— Нет, это не горничная! И попозже я не могу! То, с чем я пришел, не может ждать ни минуты!

Дэни попыталась встать с кровати.

— Не стоит суетиться. — Металлический тон его голоса буквально парализовал ее. — Ты как раз в том самом месте, где мне и нужна.

Логан захлопнул дверь и направился к Дэни. Излишне было гадать по поводу того, в каком настроении он сейчас пребывал. Логан был в ярости, его прямо-таки трясло от гнева.

Глаза метали искры. Он походил в этот момент на военачальника викингов, готового исполнить свой долг.

Дэни до подбородка натянула одеяло, хотя и понимала, что, даже если бы оно было сделано из железа, это ее не спасло бы.

— Что ты хочешь этим сказать? Ты не можешь, не имеешь права входить...

— Могу и имею!

Дэни не могла с этим спорить. Логан встал около кровати, глядя на нее с высоты своего роста, и она почувствовала себя маленькой и беззащитной.

— Я требую от тебя объяснений, Логан. Немедленно. — Она пыталась сохранить холодное выражение лица, но внутри у нее все дрожало. Дэни никогда не видела его, да и вообще кого бы то ни было, в таком бешенстве. И почему он смотрит на нее так, словно ненавидит всеми фибрами души? Потому что она ушла от него? Если так, то почему он не пришел к ней прошлой ночью?

— Какие объяснения тебе нужны? Впрочем, можешь почитать это для собственного удовольствия, а потом я возьму у тебя то, что ты уже давно должна мне.

Он выхватил из кармана газету и швырнул ее Дэни. Все еще продолжая озадаченно смотреть на него, она развернула газету. Оторвав наконец взгляд от Логана, Дэни поняла, что держит в руках утреннюю далласскую газету. Ту ее часть, где обычно печатается светская хроника.

Она увидела свою фотографию, прочитала заголовок и первые строчки статьи и поняла, что гибнет.

— Я не говорила им ничего похожего, — прошептала она, бегло просматривая всю страницу. Каждая строка содержала дифирамбы в ее адрес за заслуги в сфере благотворительности, а ведь в нынешних обстоятельствах это звучало как обвинение. Ее последним выдающимся достижением, отмечала газета, было приобретение у мистера Логана Вебстера участка под летний лагерь.

Дэни отложила газету в сторону и умоляюще посмотрела на своего обвинителя:

— Я не давала интервью. Я не делала этого!

— Ты хочешь, чтобы я поверил, что они ясновидящие? — взревел Логан.

— Она... она звонила мне вчера вечером.

— Кто?!

— Председатель, миссис Менеффи... Это она просила меня переговорить с тобой. Она хотела узнать, согласился ли ты продать нам участок.

— И ты, конечно, сказала «да», за что и удостоилась похвал в сегодняшнем номере.

— Нет! — Дэни столь энергично затрясла головой, что у нее растрепались волосы. Головная боль так до сих пор и не прошла. В висках стучало. Или это колотилось сердце? — Я чувствовала себя неважно, мне не хотелось пускаться в пространные объяснения. Я просто сообщила, что ты не сказал решительно «нет». — Дэни облизала пересохшие губы. — Что соответствует действительности. — Она смотрела на суровое лицо Логана, которое нисколько не смягчилось. — Клянусь, Логан! Все именно так! У меня и в мыслях не было, что она тут же побежит в газету!

— Ну, тебе нет причин расстраиваться по этому поводу. Смотри, какую героиню из тебя сделали!

— А из тебя? Ты изображен прямо как генерал из Армии спасения!

— Чего я, как мы оба понимаем, явно не заслуживаю.

— Абсолютно правильно... Ты зол на меня за то, что теперь придется отдать один акр твоей драгоценной собственности. Которая, как и все остальное, досталась тебе ценой величайшего труда, о чем ты постоянно всем напоминаешь...

— С тобой можно сойти с ума, Дэни, — проговорил Логан значительно спокойнее, и в голосе его больше не слышалось угроз.

— Иначе зачем бы тебе ломать дверь и врываться в мою комнату?

— Согласись, — раздраженно заметил Логан, — мы заключили сделку, которая не имела никакого отношения ни к обществу «Друзья детей», ни к той собственности и касалась лишь нас с тобой. — Он стал медленно расстегивать рубашку.

— Что ты собираешься делать? — прерывающимся голосом спросила Дэни.

— Собираюсь ликвидировать долг. — Рубашка его была расстегнута, ее полы выпущены из брюк. — Ты получила то, что хотела, Дэни. Теперь я обязан отдать этот участок, хочу я того или нет. Самое время выполнить условия нашей сделки. — Он расстегнул ремень и брюки.

— Нет! — прошептала она, отодвигаясь подальше. — Логан, подумай здраво. Ты сердит, я это понимаю. Сожалею, что так все получилось.

— Я тоже. Мне этого не хотелось.

— Ты поступаешь так, потому что ущемлена твоя гордость... Ведь я ушла от тебя...

— Это я могу пережить! С чем не могу смириться, так это с тем, что ты выкинула такой подлый трюк. — Он махнул рукой в сторону газеты. — Я с самого начала говорил, что ты не сможешь мной манипулировать. И вот тебе удался этот номер. Но, видит бог, я с этим не смирюсь.

— Ты хочешь изнасиловать меня?

— Я на все лады пытался ухаживать за тобой и вернуть твою любовь ко мне.

Он вспомнил отчаяние, которое пережил, увидев ее бегство. Как же смешно, должно быть, он выглядел со своим шампанским и розой — вроде подвыпившего зеленого юнца, который идет на свидание. Воспоминание придало ему решимости, и он подошел поближе.

— Не делай этого, Логан! — Дэни отодвинулась еще дальше, однако Логан схватил ее за подол рубашки.

— Вот так и я взывал к тебе в ту ночь, когда мы вместе сбежали. «Не позволяй им сделать это с нами, Дэни!» А ты просто стояла, когда меня заталкивали в эту проклятую машину шерифа! Ты позволила им разлучить нас, а сейчас умоляешь не трогать тебя.

— Я была в шоке.

— Я тоже оказался в шоке, когда прочитал утренний выпуск газеты.

— То случилось десять лет назад. Я была ребенком и не могла отвечать за свои поступки.

— Я тоже. — Он подтянул ее поближе.

— Ты можешь, — проговорила она, чувствуя, что ею овладевает страх. — Ты возненавидишь потом себя за это, Логан.

— Я уже ненавижу себя. За то, что был дураком все эти десять лет. За то, что принимал тебя за нечто большее, а не за то, что ты есть, — мелкую тщеславную дамочку, которая играет людскими жизнями. Я нисколько не буду сожалеть об этом... По крайней мере, тогда все кончится... После этого я забуду тебя.

— И ты хочешь, чтобы это было последним твоим воспоминанием? Чтобы все кончилось изнасилованием?

— Ты это так называешь?

— Да, потому что не смирюсь с этим. Я буду сопротивляться.

— Поступай как знаешь.

— Я стану кричать.

— Не станешь! Тебе не нужна дурная слава.

— Тебе тоже. Подумай! Это станет известно всем в городе.

— Мне глубоко наплевать. Я хочу тебя.

Логан потянулся к Дэни, обнял за талию и повалился на нее. Он придавил ее своим телом. Дэни ахнула от ужаса, не веря тому, что происходит, и забилась, когда Логан разорвал на ней рубашку.

— Логан, перестань! Господи, что же это происходит?!

Логан, похоже, ничего не слышал и не желал слышать. Он впился в нее долгим поцелуем. Схватив ее запястья, поднял руки Дэни над головой. Сейчас Логан ничем не напоминал того человека, который недавно нежно ласкал ее.

Коленом он раздвинул ей бедра, и его тело агрессивно вклинилось между ними. Руки стали шарить по ее груди. Дерзкие пальцы возбудили соски, и Дэни содрогнулась, возмущенная предательством собственного тела.

Логан оторвал губы от рта Дэни, приник к обнаженной груди и стал языком ласкать соски. Его тело ходило ходуном, поскольку он пытался освободиться от одежды.

— Логан!

В этом шепоте Дэни настолько отразились отчаяние, разочарование и крушение надежд, что стена ярости и гнева, окружавшая Логана, через которую до этого не могли пробиться ни крики, ни громкие упреки, была пробита. Логан вдруг перестал целовать Дэни. Он почувствовал, что ему нет необходимости удерживать ее руки: они бессильно повисли. Дэни больше не сопротивлялась. Она лежала безразличная и равнодушная, не делая ни малейших попыток прикрыть наготу.

Натужно и часто дыша, Логан посмотрел в лицо Дэни: глаза закрыты, из-под ресниц скатываются крупные слезы. Он увидел, как она беззащитна, а затем посмотрел на себя со стороны — возбужденно-яростного, безжалостного, почти обезумевшего — и вдруг понял всю гнусность того, что собирался совершить.

Сознание вины и угрызения совести подействовали на Логана с такой силой, что он мгновенно скатился с Дэни. Сжал руками ее голову, запустил пальцы в волосы и спрятал лицо у нее на шее.

— Дэни, Дэни! — прохрипел он. — Боже милостивый, что я наделал? Что же я наделал?

Несколько минут они лежали молча. Он лишь нежно, словно прося прощения, гладил ее по волосам. Когда дыхание более или менее успокоилось, Логан сел на край кровати. Увидев растрепанную одежду Дэни, он испытал настолько сильное чувство стыда, что его затошнило. Он презирал себя. Логан потянул за край ночную рубашку и осторожно прикрыл грудь Дэни. Она вздрогнула от этого прикосновения, и сердце его сжалось от боли.

Логан поднялся с кровати. Опершись о стену, он уткнулся головой в кулак. Брюки приспущены, рубашка, болтаясь, свисала с одного плеча, словно боевой штандарт армии, потерпевшей унизительно позорное поражение.

Он почувствовал, что Дэни села в кровати. Набравшись мужества, повернул голову. Дэни молча смотрела на него. Глаза у нее были широко открыты, губы опухли от его бешеных поцелуев. Логан увидел, как крупная горькая слеза скатилась по ее щеке.

— Я знаю, ты должна ненавидеть меня, Дэни. Но уверяю тебя, что сам я ненавижу себя еще больше.

При звуке его голоса дрожь пробежала по ее телу. Она судорожно, болезненно проглотила комок в горле.

— Прости меня... Я... — Он некоторое время смотрел на стену, затем уронил руки и взглянул ей в лицо. — Проклятье, мне нечего сказать!

— Лучше и не говори ничего. — Дэни прикрылась разорванными кусками рубашки и сложила на груди руки.

— Тебе больно? Я причинил тебе...

— Нет! — покачала она головой.

— Я сошел с ума от гнева, Дэни. Клянусь, я не соображал, что делал. То есть я понимал, но... — Он развел руками. — Никогда не подозревал, что могу быть таким бешеным, могу обидеть тебя. Тебя. Да я благоговею перед тобой! — Его голос перешел в хрип. — Как я мог...

— Логан, не надо, перестань. От этого никому из нас не станет легче. Думаю, будет лучше, если мы скажем друг другу «до свидания» и ты оставишь меня одну.

— Но это невозможно, Дэни!

Она почувствовала искренность в его тоне и, подняв голову, вопросительно взглянула на него.

— Именно сейчас я и не могу тебя оставить одну.

7

ЭНИ инстинктивно поняла, что речь пойдет о дурных новостях. Ей ничего не хотелось сейчас слышать, однако Логан заговорил.

— Я не единственный, кто прочитал сегодняшнюю утреннюю газету. У моего порога собралась орава репортеров. По-видимому, эту новость передали по телеграфу, и она облетела весь штат. Журналисты прибыли из разных округов — из Хьюстона, Далласа, Остина.

Холодок пробежал по ее телу, и она тяжело опустилась на стул.

— Они хотели, чтобы ты подтвердил эту новость?

— Я — и ты. Они хотели взять интервью у нас обоих.

Дэни прикрыла глаза:

— Значит, все знают, что я была у тебя. Они решат, что я переспала с тобой, чтобы сподвигнуть тебя на пожертвования. Годы упорного труда пойдут насмарку, доброе имя будет опорочено.

— Нет, если я помогу тебе.

— Ты же сам подумал об этом, едва зашел разговор о покупке лагеря. Помнишь?

Логан позволил ей нанести этот удар. Он его заслуживал.

— Я сказал им, что они ошибаются, тебя у меня нет и не было. Я туманно намекнул им на Картошку.

— Ты думаешь, они поверили?

Мрачное выражение на его лице было красноречивее всех слов.

— Во всяком случае, они не застали тебя в моем доме, и у них нет оснований писать в газетах, что ты там была.

— А Картошка?

— Ради тебя она на Библии будет клясться, что ты все эти дни провела под ее крышей. — Ему страшно хотелось выжать из Дэни улыбку, но, пожалуй, ожидать сейчас этого от нее было бы слишком.

— А ты еще считал, что я проболталась, — с отвращением проговорила Дэни. — Подумай, ну зачем мне нужна дурная слава?

На лице Логана было написано искреннее раскаяние.

— Я так не считал. Просто реагировал подобным образом.

Дэни промолчала.

— Тебе бы надо одеться, — после некоторого колебания добавил он.

У нее снова появилось предчувствие, что история на этом не заканчивается.

— А что?

— Я сумел отделаться от репортеров лишь тогда, когда пообещал им устроить пресс-конференцию сразу после того, как найду тебя.

— О господи! — Дэни встала и раздраженно зашагала по комнате. — Все раскручивается прямо с головокружительной скоростью.

— Ты ведь знаменитость в своих кругах, Дэни.

— Не вали все на меня одну! — напустилась она на Логана. — Ты тоже в последнее время был в центре внимания... И если бы не ты и не эта непотребная сделка, ничего подобного не случилось бы.

Она набрала еще очко. Логан понимал, что Дэни права, и не мог найти мало-мальски подходящего возражения. Он отвернулся, застегнул рубашку и заправил ее в брюки, после чего направился к двери. Дэни осталась сидеть на краю кровати; выглядела она потерянной и несчастной.

— Репортеры собираются в моем офисе в центре города. Ты помнишь то здание, которое я показывал тебе вчера?

— Да.

— Через полчаса.

— А если я не появлюсь?

— Они подумают, что между нами есть нечто такое, чего следует стыдиться.

— А разве нет? — язвительно спросила она, сверкнув на него глазами.

— Мне есть чего стыдиться. Тебе — нет. Никакие мои слова не исправят положения. — Логан чертыхнулся под нос. Он вынужден сейчас оставить ее одну в таком смятении, и все по его вине. — Я больше не увижу тебя наедине после пресс-конференции?

— Нет. Я тут же уеду.

— Ты сожалеешь, что приехала в Хардуик? — Чувствовалось, что ему было больно спрашивать об этом.

Дэни попыталась вытереть слезы, которые вдруг хлынули из ее глаз.

— Как ты можешь спрашивать меня об этом?

Он торопливо замахал рукой.

— До этого утра ты была рада, что приехала сюда?

— Я знала, что мне нужно увидеть тебя еще

раз. Ты ведь сам сказал, что у нас все оставалось незаконченным. Теперь мы можем жить каждый своей жизнью.

Он тяжело вздохнул:

— Да, по-видимому, это так.

Дэни уронила голову на грудь и ничего не сказала. Когда она подняла глаза, Логана уже не было в комнате.

Зная, что опаздывает, Дэни тем не менее приняла душ и вымыла голову. Затем сделала макияж, чтобы скрыть фиолетовые круги под глазами. Наконец, надела янтарного цвета шелковое платье, которое творило чудеса с цветом ее лица. Платье было достаточно простого покроя, с семью потайными пуговицами. Неглубокий вырез она прикрыла коралловыми бусами. На ногах были те же самые туфельки, что и в первый день приезда в Хардуик. Еще влажные волосы она собрала сзади в большой пучок.

Дэни упаковала чемоданы, погрузила их в машину, расплатилась по счету и по знакомым улицам поехала к зданию, которое накануне ей показывал Логан. «Вебстерз Индастриз, Инк.», — прочитала она на вывеске над вращающейся дверью.

В вестибюле царила суета. Репортеры и горожане, привлеченные разнесшимися слухами, толкались по вестибюлю и переговаривались друг с другом. Обычный рабочий день был нарушен. Город оказался в центре внимания, и людям хотелось посмаковать эту новость.

Дэни быстро узнали, и тут же репортеры обрушили на нее град вопросов.

— Вы и Логан Вебстер вместе учились в одной школе, мисс Куинн? Как вам понравился сбор одноклассников? Почему вы отдаете столько сил благотворительной деятельности?

— Мисс Куинн ответит на ваши вопросы, точно так же, как и я, если вы позволите пройти на сцену. Полагаю, стульев хватит на всех.

Пробившись к ней, Логан, защищая Дэни от наседающих репортеров, положил руку ей на талию. Она благодарно прильнула к нему.

— Все в порядке? — еле слышно спросил Логан. Он провел ее на сцену, где был установлен стол.

— Да, все хорошо. Спасибо, что спас меня от репортеров. — Она улыбнулась ему, но в следующий момент оба вспомнили о том, что произошло утром, и отвернулись друг от друга.

— Ты есть не хочешь?

— Нет.

— Даже кофе? Я попрошу секретаршу принести.

Дэни энергично покачала головой. Логан сел за стол. Дэни улыбнулась залу.

Она узнала репортеров из далласских газет и приветственно помахала им, надеясь, что это не выглядит столь натянуто, как ее улыбка.

Логан выждал, давая ей возможность сделать несколько глотков кофе, который чудесным образом появился перед ней, а затем через микрофон призвал зал успокоиться.

— Я имею самое незначительное отношение ко всему этому, — заявил он. Услышав протестующие голоса, поднял руку, призывая к тишине. — Виновницей нашего праздника является исключительно мисс Куинн, моя бывшая одноклассница. Она обратилась ко мне и настолько ярко и живо рассказала о планах по организации летнего лагеря для детей-инвалидов, что я испытал радость от того, что могу предложить свою собственность для столь благого дела.

Дэни с благоговением смотрела на Логана. Ему бы президентом быть. Он даже ее заставил поверить в то, что говорит. Она никогда не рассказывала ему, почему так предана этому делу. Лишь обронила между делом несколько фраз, когда они вдвоем осматривали полуразрушенные здания. Логан же представил ее прямо-таки святой.

— Впрочем, думаю, что об этом лучше расскажет сама мисс Куинн. — Повернувшись к Дэни, Логан протянул ей микрофон.

Она взяла микрофон, но продолжала смотреть на Логана, удивленно приоткрыв губы. Он еле заметно ободряюще кивнул ей и сел на место.

Дэни отвечала на многочисленные вопросы, хотя информации в ее ответах содержалось мало, что давало каждому из репортеров возможность написать свою историю. Ее сдержанность могла создать впечатление, что она о многом умалчивает из соображений секретности. Хотя на самом деле Дэни просто не знала, сколько детей будут жить в лагере и какие программы обучения им предложат. Не имела она ни малейшего представления ни о плате за обучение, ни о стоимости транспортных расходов, ни о зарплате преподавательского состава.

Из задних рядов встал репортер и знаком показал, что хочет задать вопрос. После ее кивка он спросил:

— Не слишком ли бестактным с моей стороны будет вопрос: сколько общество «Друзья детей» намерено заплатить мистеру Вебстеру за участок?

Это вопрос! Сколько они заплатят мистеру Вебстеру? Они с Логаном говорили только об одной цене. О господи! Дэни лихорадочно искала выход из положения.

— Я полагаю... — промямлила она. И в этот момент поднялся Логан.

— Вот чек о продаже. — Дэни уставилась на Логана, который размахивал каким-то казенного вида листком. — Здесь есть отметка «Оплачено полностью».

— Н-но... мы не платили тебе ничего. — По ошибке она сказала это в микрофон, так что ее слова услышал весь зал.

— Совершенно верно, мисс Куинн. — Логан передал ей чек о продаже вместе с договором о сделке с обществом «Друзья детей». — Это все, что я хочу за участок.

Зал разразился аплодисментами. После этого все фактически завершилось. Дэни собиралась незаметно исчезнуть, чтобы на досуге обсудить произошедшее.

Когда толпа стала рассеиваться, к Логану подошла седовласая дама и сунула ему какую-то бумажку.

— Я едва поверила своим глазам, — сказала она, приложив руки к груди. Логан тут же представил женщину как свою секретаршу. — Я подумала вначале, что это шутка, но затем он действительно стал говорить со мной по телефону.

— Кто? — спросил Логан взволнованную женщину.

— Губернатор, — гордо произнесла секретарша. — Прочтите это.

Логан развернул листок и прочел короткое послание. Подняв на Дэни глаза, он почти извиняющимся тоном сказал:

— Нас приглашают на обед к губернатору и миссис Хьятт на их ранчо... Сегодня вечером, — добавил он тихо.

Те из репортеров, кто услышал Логана, снова оживились. Новость распространилась по залу, который возбужденно загудел, словно приглашение исходило от самого короля. Впрочем, для жителей Хардуина это было практически одно и то же.

— Как прикажешь ответить, Дэни?

— Право, не знаю, — неуверенно сказала она. — Далеко это отсюда?

Логан прищурил глаза, словно оценивая расстояние:

— Два часа полета.

— А на машине?

— Слишком далеко... Мы можем вдвоем полететь туда.

— О... — Она будет с Логаном. В самолете. В маленьком самолете. И никого больше, кроме них.

Увидев тревогу и нерешительность на лице Дэни, Логан почувствовал, как сжалось его сердце. Неужели она его боится? А что же он хочет? Чуть не изнасиловал ее, подонок!

— Губернатор Хьятт — мой друг, Дэни. Он не обидится, если я позвоню и скажу, что мы не сможем приехать... По причине предварительных договоренностей и прочее...

Миссис Менеффи положит голову на плаху, если Дэни не примет предложение губернатора. Не было никаких сомнений, что о ее отказе сообщат вечерние газеты. Все смотрели на Дэни и ожидали ответа. У нее не было выбора.

— Весьма любезно со стороны мистера и миссис Хьятт прислать приглашение. Конечно, я буду счастлива его принять.

Взгляд голубых глаз Логана на какой-то миг, казалось, пронзил ее насквозь. Затем он отвернулся и сказал в микрофон:

— Надеюсь, вы извините нас. — И, ослепительно улыбнувшись, добавил: — Спасибо за то, что пришли.

Дэни не успела опомниться, как Логан взял ее под руку и повел через толпу к лифту. Они остановились на четвертом этаже. Он провел Дэни до конца коридора и распахнул перед ней дверь в свой офис.

— Ага, вот и вы, — сказала секретарша. — Я надеялась, что вам удастся вырваться и вы придете, пока кофе не остыл.

Секретарша отошла в сторону, и Дэни увидела на небольшом столике живописный натюрморт: дыню, арбуз, аппетитную клубнику, кокос. Кроме того, там были сандвичи с яичным салатом, пончики с шоколадом, кофе и апельсиновый сок.

— Все делалось наспех, но мистер Вебстер сказал, что вы, вероятно, голодны, потому что не завтракали. Совершенно свежая дыня, очень вкусный салат, который приготовила Мэй. Я с удовольствием ем, когда она готовит.

Дэни успокоила женщину, которая изо всех сил хотела угодить боссу... и его подруге. Она приветливо улыбнулась секретарше:

— Все смотрится очень аппетитно. Удивительно, что вам удалось так быстро это организовать. А я и в самом деле страшно проголодалась.

Женщина подала ей тарелку:

— Пожалуйста, накладывайте.

Еще час тому назад Дэни могла бы поклясться, что не способна вообще притронуться к еде. Сейчас же она в мгновение ока расправилась с содержимым тарелки.

— Я не отвечаю на звонки, — сказал Логан,

отправляя сочную клубничину в рот, когда зазвонил телефон. Секретарша взяла трубку. — Прошу прощения, Дэни, но мне нужно переодеться. — К пресс-конференции он успел надеть пиджак и галстук — должно быть, эти предметы одежды были у него в машине.

— Что ты наденешь? Может, мне тоже следует переодеться?

— Если тебе в этом удобно, оставайся как есть. А я надену джинсы. Поскольку Чарли приглашает к себе домой, я больше чем уверен, что он будет в джинсах. И мне не улыбается лететь в самолете в костюме. Да к тому же они вряд ли обратят внимание на то, как я буду одет. — Логан любовно оглядел Дэни. — А ты выглядишь славно.

Дэни смущенно отвела взор:

— Спасибо.

Дэни удивилась, когда он стал перед ней на колени, заставляя посмотреть ему в глаза.

— Ты и в самом деле хорошо чувствуешь себя, Дэни? — Он спросил это с явной тревогой. — Мы можем отказаться от визита даже сейчас. Стоит тебе сказать слово.

В его взгляде Дэни прочитала страдание и раскаяние, и ей вдруг захотелось погладить его по щеке. Однако она этого не сделала. Лишь покачала головой и выдавила из себя слабую улыбку:

— Уверяю тебя, Логан, я чувствую себя отлично.

Несколько секунд он изучающе смотрел на нее, затем погладил ей руку и встал.

— Ну что ж, тогда все в порядке. Я сейчас вернусь. — Он появился в комнате минут через десять, одетый более буднично — в джинсы, спортивную рубашку и пиджак, но и в этом наряде выглядел таким же неотразимым. — Ты не хочешь поставить свою машину ко мне? Там она будет в большей безопасности, чем на улице.

— Да, вероятно, так будет лучше.

— Тогда пошли.

Они быстро доехали до дома Логана. Здесь он провел ее к небольшому ангару. От него через пастбище тянулась узкая, черного цвета посадочная полоса.

— Что будет, если корова окажется на полосе, когда ты соберешься садиться? — спросила Дэни, выходя из машины.

— А ты видишь здесь хоть одну корову?

— Я, наверное, задаю глупые вопросы, — предположила Дэни.

Логан махнул рукой в сторону забора:

— Видишь? Этот забор как раз и существует для того, чтобы не произошла такая катастрофа. — Они, улыбаясь, смотрели друг на друга, но это продолжалось лишь до того момента, когда оба вспомнили о событиях сегодняшнего утра.

Дэни подождала в ангаре, пока Логан проверил самолет. Он сообщил о маршруте своего полета в ближайший аэропорт и пригласил Дэни в кабину. Сразу после взлета она спросила:

— Когда ты научился летать?

— На втором курсе колледжа. Во всяком случае, тогда начал летать. Как-то вечером я отправился в полет с другом. Мы выпили с ним изрядное количество пива, но он уговорил меня, молодого и глупого, лететь. Мне понравилось, и я подумал, что если он может управлять самолетом в полупьяном состоянии, то я смогу это делать, будучи совершенно трезвым. Уроки были дорогие, поэтому я стал помогать инструктору, выполняя за него рутинную работу в аэропорту в счет платы за уроки.

— Ты всегда отличался трудолюбием. Я помню, как ты работал даже после футбола.

Он засмеялся:

— Трудно сосчитать, сколько галлонов газа перекачал я на заправочной станции Грейди. Но зато старина Грейди продавал мне со скидкой газ и бензин, так что я мог возить тебя во время уик-эндов.

Логан улыбнулся, но затем снова стал серьезным:

— Мне хотелось покупать тебе подарки, дарить какие-то вещи, угощать. Я завидовал парням, которые возили своих девчонок в самые лучшие места, хотя их было и не так уж много в Хардуике... А я мог позволить себе угостить тебя лишь гамбургером.

— Логан... — Неожиданно для нее самой ее рука легла ему на плечо. Дэни с удивлением уставилась на собственную руку. Подняв голову, она встретилась с его взглядом.

— Ты что-то хотела сказать?

Какие-то необычные, теплые нотки в его голосе вынудили ее ответить:

— Я хотела сказать, что для меня не играло роли, куда мы отправимся во время свидания. Мне было приятно просто быть с тобой.

Логан поймал ее руку и поднес к своим губам. Нежно поцеловав тыльную сторону ладони, он сказал:

— Ты сможешь простить меня за то, что произошло сегодня утром, Дэни? Я не в силах объяснить свой поступок или искать ему оправдание. Мне лишь хочется, чтобы ты знала, как я сожалею. Я бы отдал десять лет жизни, лишь бы не было этих десяти минут. — Он посмотрел ей в глаза. — Я хотел тебя. Я был в отчаянии, когда ты вчера уехала. Увидел в газете панегирик в твою честь и решил, что ты издеваешься надо мной. Это привело меня в ярость. Только так я могу все объяснить.

Дэни отвернулась и стала смотреть в окно. День был безоблачный. Пейзаж под ними менялся, как в калейдоскопе.

— Я бы никогда не стала издеваться, что бы ни произошло между нами, Логан.

— Теперь-то я понимаю. В этом и была моя ошибка... Скажи, что прощаешь меня.

— Я вынуждена простить тебя, — сказала она тихо. — Если это случилось потому, что мы хотим друг друга, значит, я виновата в той же мере, что и ты. — Она нашла в себе мужество встретиться с его взглядом. — За последние несколько дней мне хотелось изнасиловать тебя несколько раз.

Логан стиснул руку Дэни и держал ее в своей до тех пор, пока на горизонте не показался аэродром. Здесь Логану пришлось отпустить ее, чтобы сосредоточиться на управлении самолетом во время посадки.

Губернатор Чарлз Хьятт ожидал их в семейном лимузине. Он подвез гостей до своего ран-

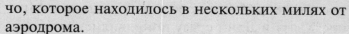

чо, которое находилось в нескольких милях от аэродрома.

— Маргарет и дети жаждут видеть тебя, Логан. И, разумеется, ждут встречи с вами, мисс Куинн.

— Я буду рада встретиться с ними. Пожалуйста, зовите меня Дэни.

— А его — Чарли, — кивком показал Логан. — Я понял, что это единственный способ поладить с ним.

— Как случилось, что ты на столь короткой ноге с губернатором? — спросила Дэни, кокетливо повернув голову.

— Я попросил его войти в комиссию по энергетике, — ответил за Логана губернатор. — Не успел я осмотреться, как он уже оказался во главе ее.

— Это очень на него похоже.

— Спасибо, — бодрым тоном сказал Логан, решив воспринять ее скрытый намек в качестве комплимента.

— Пусть вас не отпугивает мой титул, Дэни, — проговорил Чарли. — Прежде чем заняться политикой, я был ковбоем. Но когда столкнешься с техасскими законодателями, кажется, что иметь дело с коровами — это детская забава.

Все члены семьи губернатора были не менее дружелюбны и просты в обращении. Миссис Хьятт и Дэни сразу понравились друг другу. Полная и доброжелательная, супруга губернатора всегда и во всем поддерживала мужа, полагая, что все сказанное им не подлежит критике. Она была отличной матерью и любезной, гостеприимной хозяйкой.

— Бог послал нам троих здоровых, крепких мальчишек, и я каждый день благодарю его за это, — сказала миссис Хьятт, обращаясь к Дэни. — То, что вы делаете для больных детей, — поистине благородно. Когда я прочитала сегодня утром в газете о лагере, который вы намерены организовать, я сказала Чарли, что хотела бы пригласить вас на ужин, поблагодарить вас и предложить поддержку... Чарли-младший, убери, пожалуйста, локти со стола.

— Тебе понравилось? — спросил Логан у Дэни, когда их самолет взял курс на восток, оставляя позади себя живописный солнечный закат.

— Да. Я не ожидала ничего подобного.

— А чего ты ожидала?

— Я думала, что это будет скучный обед в официальной обстановке... Мне очень понравились Чарли и его жена. Вообще вся эта теплая семейная атмосфера, дети. — От взгляда

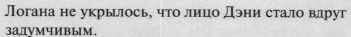

Логана не укрылось, что лицо Дэни стало вдруг задумчивым.

— Тебе когда-нибудь хотелось иметь детей, Дэни?

Похоже, этот вопрос чрезвычайно разволновал ее. Дэни нервно заерзала в кресле.

— Да, — хрипло ответила она. — Конечно.

— Чем старше я становлюсь, тем чаще думаю об этом, — задумчиво проговорил Логан. — Помнишь, наши свидания возле озера? Мы много говорили о будущей совместной жизни. О том, какие у нас будут дети... Помнишь?

Дэни встретилась с его взглядом, затем отвернулась. Их окружали густые сумерки — такие же мягкие и теплые, как и в те давние вечера.

— Конечно, помню.

— Мы гадали, сколько их будет, решали, как их назовем... Помнишь? — Дэни молча кивнула, ибо говорить ей мешал комок в горле. — Если бы мы поженились десять лет назад, какие, интересно, у нас были бы сейчас дети? Сколько лет бы им было? Как бы они выглядели? В то время мы пришли к выводу, что они должны быть блондинами... Помнишь?

— Прошу тебя, Логан, не надо, — еле слышно проговорила Дэни. Эта тема была слишком болезненной для нее. Она с трудом подавила подступающие слезы и, чтобы как-то снять напряжение, повисшее в воздухе, добавила: — Я подозреваю, что тебе не так хочется иметь детей, как делать их.

— Признаюсь в этом грехе, — с плутовской улыбкой сказал Логан. — Мне и сейчас этого хочется.

Оба погрузились в задумчивое молчание. Гул мотора убаюкивал, и Дэни стала клевать носом. Она почти не спала прошлой ночью, поэтому вскоре заснула и не проснулась даже во время посадки.

Она открыла глаза оттого, что Логан тряс ее за плечо.

— Уже?

— Да, всего какая-то пара часов, — поддразнил он ее.

— Прости, — смущенно проговорила она, выпрямляясь в кресле. — Я не думала...

— Все в порядке. Смотри под ноги. — Он помог ей сойти и занялся самолетом.

— Логан! — Дэни стояла, опершись о стену ангара.

— М-да?

— Здесь есть поблизости... гм... туалетная комната?

Она увидела в лунном свете его улыбку. Он взял ее за руку и подвел к машинам.

— Ближайшая — в конюшне. Потерпишь до того времени?

Дэни бросилась к своей машине, мгновенно завела и помчалась по дороге. Когда она появилась из маленькой уборной в конюшне, Логан уже поджидал ее там.

— Легче?

— Гораздо. — Она вздохнула, затем настороженно повела головой. — Что это?

— Что ты имеешь в виду?

— Мне показалось, я слышала шаги. — Жестом она показала в сторону стойла.

— Я пойду проверю.

Он снял с крюка фонарь и включил его. Пройдя по центральному проходу, по очереди заглянул в каждое стойло. Дэни следовала за ним по пятам.

Все тихо и спокойно. Лошади спят.

Логан повернулся к ней. Дэни находилась так близко, что они столкнулись, и, не давая ей упасть, он схватил ее за плечи. Она вся напряглась.

— Дэни, — горестно спросил Логан, — ты все еще боишься меня?

Она уловила отчаяние в его голосе и торопливо сказала:

— Нет, Логан, нет. Не думай об этом. Я не боюсь.

Они остановились у стены в том месте, где из окна падал лунный свет, и Логан заглянул ей в лицо:

— Когда я дотрагиваюсь до тебя, ты вздрагиваешь. Почему, Дэни?

— Я не вздрагиваю. — Должно быть, это лунный свет, падающий на волосы Логана, так завораживающе влиял на нее. Она не удержалась и запустила пальцы в его шевелюру. — Просто твои прикосновения заставляют меня трепетать.

8

го ладони скользнули по рукам Дэни. Было бы слишком дерзко на что-то надеяться, но тело безоглядно рванулось вперед, несмотря на собственные предостережения не искать скрытого смысла в ее словах.

— Что ты имеешь в виду, Дэни?

— Только то, что, сколько я себя помню, твои прикосновения и даже мысли о них всегда вызывали отклик в моем теле.

— Дэни. — Выражение облегчения на его лице скорее напоминало гримасу боли.

Они стояли совсем рядом, однако ее сложенные на груди руки создавали некую дистанцию между ними.

— Тебе никогда не удалось бы довершить то, что ты затеял утром, — тихо сказала она, поднимая на Логана взгляд. Глаза ее блестели в лунном свете. — В тебе слишком много доброты и деликатности, чтобы ты мог причинить боль кому-нибудь, тем более человеку, которого когда-то любил.

— Должно быть, ты думаешь обо мне лучше, чем я того заслуживаю.

Дэни покачала головой:

— Нет. Твоя злость была оправданной. Ты искал выхода этой злости. Вполне естественно, что направил ее против меня. Но ты никогда не смог бы причинить мне боль, Логан. Я это знаю, уверена в этом.

— Спасибо за доверие... Но ты ошибаешься и в другом.

— В чем же?

— В том, что ты человек, которого я когда-то любил. Я люблю тебя сейчас, Дэни. И это не имеет никакого отношения к тому, что было между нами десять лет назад. Ты единственная женщина, которую я когда-либо любил по-настоящему.

Он взял ее руки в свои ладони и положил себе на грудь.

— Почему ты уехала вчера, Дэни?

— Я не хотела, чтобы совместное ложе стало кульминацией нашей игры. Я хотела чего-то большего.

Логан отпустил руки Дэни и, коснувшись теплой ладонью ее щеки, приподнял ей подбородок.

— Но это и было больше. Готов признаться, я испытал горечь, когда увидел тебя в первый раз. Может, я и в самом деле хотел, чтобы ты в какой-то степени пережила боль и унижение, которые пережил я в ночь, когда нас разлучили. Но я перешагнул через это, как только почувствовал тебя в своих объятиях во время танца. Несмотря на твой образ жизни, твое социальное положение, ты остаешься для меня моей милой Дэни... Красивой, умной, очаровательной, сексуальной — даже не пытаясь быть таковой... Не произнося высоких слов, я всячески хотел показать, что ты именно такая. Неужели до сих пор не понимаешь, почему я хотел видеть тебя на моем ложе?

Она сжала ладонями лицо Логана и прильнула к нему. Логан обнял ее.

— Я верю тебе, но все же скажи эти слова, чтобы я знала уже наверняка.

— Так вот, будь уверена, — прошептал Логан. — Я люблю тебя, Дэниэль Элизабет Куинн.

Ее руки обвились вокруг шеи Логана. Он крепко прижал Дэни к себе и уткнулся лицом ей в волосы.

— Ты всегда была частью меня. Все эти годы я носил твой образ в своем сердце. Не могу припомнить момента, когда бы не любил тебя, — тихо сказал Логан.

Он осторожно поглаживал спину Дэни. Кончиками пальцев Логан ощущал каждый ее позвонок. Рука его скользнула к талии и ниже, к округлостям бедер. Но движение было очень медленным и деликатным. Никогда впредь он не рискнет снова напугать ее.

— Я тоже, Логан. Я влюбилась в тебя в тот момент, когда впервые вошла в класс мисс Притикин на урок истории и ты предложил мне, новенькой, сесть за свою парту в первом ряду.

Подняв голову, он вгляделся ей в лицо:

— Неужели с того времени?

— Д-да. Я сразу будто задохнулась.

Сердце Логана готово было разорваться от счастья. Судя по блестящим глазам и сияющей улыбке, Дэни испытывала такие же чувства.

Его губы приблизились к ее губам. Он не прижимался к ним, не требовал, чтобы они открылись. Просто коснулся губ и отпрянул, затем повторил маневр.

Спустя некоторое время она подняла голову и запустила пальцы в копну его волос.

— Ты стал таким застенчивым?

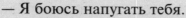

— Я боюсь напугать тебя.

Ей страшно нравилось играть этими шелковистыми, чуть вьющимися волосами.

— Я тебе разрешаю.

— Что? — хрипло спросил Логан. Он вдруг ощутил, как в нем все заныло. Пальцы, язык, низ живота. Господи! В нем есть что-то от зверя! Он только что вымолил прощение за то, что едва не изнасиловал ее, и дал слово никогда больше не причинять ей боли. И снова думал о том, что ее тело способно принести ему освобождение от мучений, которые терзали его в течение десяти лет. — Что ты позволяешь мне сделать?

— Напугать меня. Например, вот так. — Она дунула на его губы, те послушно раскрылись, и ее язык устремился внутрь, в глубину рта.

Он крепко обнял Дэни и стал жадно целовать. Язык блуждал в глубинах ее рта. Логан испытывал удивительное наслаждение, словно пил нектар сладкого, сочного фрукта.

Они прервали поцелуй, чтобы глотнуть воздуха и восстановить дыхание. Его губы скользнули по ее подбородку, и Дэни податливо запрокинула голову назад.

— Я хочу тебя, Дэни... Нагую... хочу, чтобы

ты приняла меня в себя, а я сделался частью тебя.

— Да, Логан, да... — Она прильнула к нему, прижимаясь нежным животом к его напряженной плоти.

— Боже, ты убиваешь меня! Я не знаю, как дойду до дома, — простонал он.

— Давай прямо здесь.

Эти слова вывели Логана из чувственного тумана и вернули его к действительности. Он в замешательстве уставился на нее:

— Как — здесь? Прямо на сене?

Она звонко, задорно засмеялась:

— Да, именно. Прямо на сене. А почему бы и нет?

— Малышка, сейчас ты можешь делать со мной все, что угодно. Готов подчиниться, потому что думаю только о тебе. Но ты уверена?

Дэни освободилась от его объятий и повернулась к нему спиной. Словно зачарованный, он наблюдал за тем, как она расстегнула ожерелье, сняла его и положила на подоконник. За ожерельем последовали другие украшения.

Затем Дэни распустила волосы. Они рассыпались по спине, и Логану страстно захотелось погрузить руки в этот шелковый водопад. Но

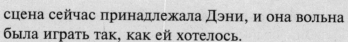

сцена сейчас принадлежала Дэни, и она вольна была играть так, как ей хотелось.

Дэни сбросила туфли и, взглянув на него сквозь густые ресницы, подняла юбки и стала отстегивать от подвязок чулки.

Логан Вебстер, известный в Хардуике покоритель сердец, потерял голову. Он чувствовал, что весь горит. Сердце бешено колотилось в груди. Сейчас Логан был во власти женщины, которая являлась предметом его ночных фантазий много лет. Его соблазняли, и это ему до безумия нравилось!

— Есть здесь где-нибудь одеяло? — негромко спросила Дэни.

Логан кивнул, заставил себя оторвать взгляд от соблазнительного вида стройных женских ног и бросился в кладовку, откуда извлек большое старое одеяло. Он постелил его на сене в свободном стойле, куда падали лучи лунного света.

Частично стряхнув с себя оцепенение, протянул Дэни руку. Медленно, грациозно, игриво она приблизилась к нему. Он обнял и нежно, неторопливо поцеловал, чувствуя под руками шелк ее волос.

— Ты хочешь, чтобы я разделась? — шепотом спросила Дэни.

— Я хочу сам раздеть тебя.

Она улыбнулась:

— Я надеялась, что ты именно так ответишь.

Они стояли посередине одеяла лицом к лицу. Он поцеловал ее в губы, затем в шею.

— Ты так чудесно пахнешь. — Его рот скользнул к вырезу платья. Выпрямившись, Логан заглянул в ее глаза и стал расстегивать одну за другой все семь пуговиц.

Наконец половинки платья разошлись. Задержав взгляд на последней пуговице, он снова посмотрел Дэни в лицо.

— Не знаешь, почему у меня вдруг возникло желание оказаться сейчас на заднем сиденье автобуса?

Оба засмеялись.

— Я сейчас больше волнуюсь, чем тогда.

— Я тоже, — признался он.

— А почему, как ты думаешь?

— Потому что сейчас это значит для нас гораздо больше. Я хочу, чтобы это было удивительно, незабываемо...

— Все так и будет.

Он медленно стянул с нее лиф платья. Она высвободила руки из рукавов и ждала, когда он стащит платье с бедер. Грациозно, положив ладонь ему на плечо, Дэни переступила через упавшую к ногам одежду. Дорогое модное платье было небрежно брошено на ароматно пахнущее сено.

— Ты великолепна, Дэниэль Элизабет, — сдерживая дыхание, прошептал Логан.

Он не знал, как называется сей предмет одежды. Логан знал лишь то, что ему он нравится. Предмет соединял в себе лифчик, трусики и пояс с резинками. Должно быть, он был сделан из шелка и хорошо обтягивал тело Дэни. Теплая, гибкая вторая кожа. Цвет его напоминал шампанское и при серебристом лунном освещении почти сливался с цветом тела, так что Логан с трудом мог сказать, где кончалось одно и начиналось другое.

Он дотронулся до талии. Да, определенно шелк. Логан обхватил ладонью ее грудь и тут же ощутил сквозь тонкую материю, как твердеет сосок в ответ на ласку. Но сейчас у него на уме было другое.

Рука его скользнула к округлостям бедер и к кружевной V-образной перемычке между ними. Он заставил себя оторвать взгляд от этой гипнотизирующей дельты, на которой соблазнительно болтались резиновые подвязки, и залюбовался ее стройными ножками.

Захватив одну из подвязок пальцами, он оттянул ее на всю длину и по-мальчишески озорно заглянул в лицо Дэни.

— Если сделаешь это — пожалеешь, — предупредила она.

— А как ты меня накажешь?

Дэни прищурила глаза:

— Сниму с тебя всю одежду!

Логан тут же отпустил подвязку, и она щелкнула по бедру. Дэни возмущенно вскрикнула.

— Хорошо же! Я тебя предупреждала! — грудным голосом произнесла она.

Пиджака сейчас на нем не было, и Дэни начала с рубашки. Она снимала ее столь же мучительно долго, как до этого он расстегивал ее платье. Наконец ее руки смело заскользили по его голой груди.

— Мне так нравятся эти волосы. Они такие приятные на ощупь.

— Правда? — хрипло спросил он. — Я очень рад это слышать. Постараюсь отрастить еще длиннее.

Ему потребовалось все его самообладание, чтобы не позволить страсти выплеснуться раньше времени. Одна из бретелек ее лифчика соскользнула и, казалось, обжигала ему локоть. Крепкая грудь норовила выскользнуть из хрупкого вместилища. Лишь воспрянувший сосок не давал ей вырваться на свободу.

Дэни стала на колени.

— Это моя любимая вещь, — пробормотала она.

— Что?

Дэни погладила напрягшиеся мышцы его живота.

— Джинсы, и ничего больше. Именно в джинсах мужчина выглядит наиболее сексуально. Мне нравится нижняя часть мужского торса. — Она расстегнула ремень и не спеша занялась «молнией». — Печально, что его, как правило, недооценивают! А ведь если живот твердый и плоский, да еще покрыт такими симпатичными волосками, как у тебя, то его можно считать самым красивым созданием творца.

Руки Логана двигались в ее волосах, будто пытаясь найти, за что бы ему ухватиться, чтобы сохранить равновесие.

— У меня другое мнение, Дэни. И по крайней мере половина человечества не согласится с тобой. Тем не менее я очень рад, что тебе приятно смотреть на меня.

— Я видела тебя и раньше. Например, в тот вечер в горячей ванне. Ты был одет совсем не по-джентльменски.

Он не думал, что можно смеяться в подобных обстоятельствах, однако рассмеялся:

— Я хотел полностью завладеть твоим вниманием.

— Тебе это удалось. Я с интересом смотрела на тебя.

— Но ты не дотрагивалась до меня, — прошептал он.

— Тогда — нет, — согласилась Дэни.

Он стоял без движения в некоем оцепенении, пока Дэни стягивала с его бедер джинсы и трусы. Затем Логан ощутил легкое, стыдливое, сладостное прикосновение ее руки к его плоти. Эта ласка не была страстной, но нежной и любовной. Затем Дэни обняла его за бедра, и ее ладони сжали упругие мужские ягодицы.

— Логан! — Она прижалась щекой к его бедру, и он ощутил ее дыхание. Затем губы. Легкие, беглые, скользящие поцелуи. Голова ее качнулась, и шелковистые волосы нежно коснулись его кожи. — Люби меня, Логан... Люби.

Он слегка отстранился от Дэни, снял с себя носки и туфли и отбросил ногой валявшуюся на полу одежду. Когда опустился на колени, Дэни лежала на спине, закинув руки за голову. Луна освещала ее длинные точеные ноги. Грудь часто вздымалась, и блики лунного света переливались на шелке последнего предмета одежды, который оставался на ней.

— Тебе придется самому снять это. — Она жестом показала на свой шелковый комбидресс.

Кровь бросилась к голове Логана и отчаянно застучала в висках от этих слов. Он отыскал потайные застежки, расстегнул их, последним усилием воли концентрируя внимание на том, чтобы справиться со столь хитрым делом.

Потянул пояс вверх.

— Господи, Дэни! Ты говорила, что я красивый.

Вид обнаженного, ослепительно красивого женского тела вызвал у него приступ головокружения. Видение вдруг стало подергиваться дымкой, и это раздражало, потому что ему хотелось насладиться созерцанием каждой детали — атласной гладкостью кожи, чудом кудрявого темно-желтого цветка на стыке бедер.

Ее пупок был похож на драгоценный камень, который подмигивал ему, когда Логан тянул пояс вверх. Затем открылась грудь — своего рода двойной десерт, который приглашал, чтобы его попробовали.

Дэни села, дабы Логан мог стянуть пояс

через голову. Ее волосы рассыпались по плечам. Логан колебался, боясь, что, если он навалится на нее, это напомнит ей события утра и напугает. Но Дэни обняла его за плечи, притянула к себе и легла на одеяло.

— Накрой меня, Логан. Придави, привяжи навсегда к себе.

Подобные слова, казалось, могут свести с ума. Но этого не случилось, они просто настолько тронули Логана, что у него родилось неукротимое желание защитить Дэни. Он страстно желал показать ей, каким нежным может быть.

Логан накрыл ее, но сделал это медленно, постепенно, боясь напугать. Она не должна испытывать неудобство. А что касается слов о том, чтобы он привязал ее навеки, то у него не было ни малейшего желания покидать любимую. Тем более сейчас, когда ее рот был открыт для поцелуев.

Его язык проник во влажную, теплую глубину рта. Затем он поднял голову, чтобы заглянуть в глаза, в которых сверкали золотистые языки пламени.

— Меня никто по-настоящему не любил, Логан. Покажи мне, что это такое — быть любимой. — Коснувшись языком ямочки на его подбородке, Дэни застонала.

Он страстно поцеловал ее в шею, а затем взял маковку груди в рот.

Дэни со стоном откинулась назад. Логан продолжал ласкать ее, и она почувствовала, как мучительно заныл у нее низ живота. Она возбужденно перебирала ногами, чувствуя, как курчавые волосы щекочут ей внутреннюю поверхность бедер. Руки обоих ненасытно блуждали по телу друг друга.

Внутри Логана бушевало пламя, однако прикосновения его были нежными. Пальцы скользнули по животу и шелковистому пучку волос, к упругим складкам между ног. Здесь Дэни была теплой, влажной, бархатной... Женщина, ожидающая мужчину.

Он медленно и осторожно вошел в нее. Ритмично двигаясь, знакомился с самыми дальними уголками, с самыми сокровенными тайнами ее женственности. Стройное гибкое тело Дэни упруго двигалось с ним в такт.

Наконец волны конвульсивной дрожи пробежали по ее телу. Логан впился глазами в полное истомы лицо Дэни.

Это была его женщина. Ее тело, ее душа, ее аромат — все создано единственно, исключительно, безусловно, несомненно, определенно, бесспорно для него. Если бы он обыскал весь свет, то не нашел бы никого другого, кто подходит ему в большей степени. Как бы ни складывалась его дальнейшая судьба — будет ли жить с ней или без нее, но Логан твердо знал: Дэни создана для него.

И в этот момент его сладостные ощущения достигли пика.

— Дэни, милая Дэни, — содрогаясь от сладострастия, шептал он ей в ухо. — Я безумно люблю тебя, моя единственная и неповторимая.

— Ты и в самом деле слышала какой-то шум или это была твоя женская уловка, чтобы соблазнить меня?

Дэни шлепнула его по руке.

— Я и в самом деле слышала какой-то шум. А вот почему ты не включил освещение, — она показала на ряд лампочек вдоль всей конюшни, — а взял фонарь, который работает от слабенькой батареи?

Ночь была теплая, но, даже если бы было холодно, их любовного жара с лихвой хватило бы, чтобы согреться. Они лежали в обнимку на мягком одеяле, продолжая исследовать тела друг друга.

Вместо ответа Логан просто поцеловал ее.

Его палец лениво чертил круги на груди Дэни. Внезапно он нахмурился:

— Дэни, почему ты сказала, что тебя никто до этого не любил? А как же муж?

Несмотря на серьезность вопроса, Дэни вдруг рассмеялась:

— Ты намерен лезть в мою личную жизнь?

— Да, — без обиняков ответил Логан.

— То была не любовь, Логан. Я любила тебя. А Фил... Он никого не любил, кроме самого себя. Мы прошли через секс, но любви не было, была лишь физическая близость.

Он поцеловал ее в висок и спросил:

— Ты видишься с ним?

— Иногда, но не наедине. Мы сталкиваемся друг с другом и говорим «привет», как вежливые малознакомые люди. Разрыв был горьким и окончательным. — Повернувшись на бок, она взглянула Логану в лицо. — Мне не хочется говорить о нем, чтобы не портить впечатления от нашей с тобой близости. Пойми, для меня впервые в жизни это был акт любви.

— Для меня тоже, Дэни.

— А все другие женщины?

Он покачал головой:

— Лишь физическая близость.

Дэни уткнула нос в его волосатую грудь.

— Ну что же, ты в этом силен.

— Ты тоже совсем неплоха. — Он нащупал ладонью курчавый лобок Дэни и сжал его. — Готова отправиться домой? Там мы можем еще попрактиковаться.

— Наверное, мне надо одеться? — игриво спросила она.

— Ни к чему.

— Как же я, по-твоему, доберусь домой, не нарушив приличий?

Логан вскочил и потянул ее за собой.

— Вот, — сказал он, бросая ей свою рубашку. — А я натяну джинсы. Тем более что ты заявила, будто это твой любимый предмет одежды, — добавил он.

— Может, я передумала, — лукаво сказала Дэни. То, что она после этого сделала, одновременно привело Логана и в шок, и в восторг. Ее рука затеяла такую игру с его плотью, что он застонал.

— Дьявольщина, Дэни! Ты хочешь, чтобы мы пошли домой, или нет?

Они шли среди ночи, шепча сладостные и бесстыдные слова, поглаживая друг друга, толкаясь и смеясь, и наконец подошли к патио.

— Осторожно, можно поранить ногу о стекло, — успел Логан предупредить Дэни.

Даже в темноте были видны осколки двух разбитых бутылок, содержимое которых вылилось на землю. Здесь же валялись лепестки и стебель растерзанной розы.

— Боже мой, что это? — воскликнула Дэни.

— Я... гм... одним словом, проявление характера, — смущенно пробормотал Логан.

Она уставилась на него широко раскрытыми глазами.

— Вчера, когда я уехала? — догадалась она.

Логан кивнул:

— Я изобрел несколько новых непечатных выражений, которые можно запатентовать. Очень замысловатые и выразительные.

— Логан... — Дэни обняла его и поцеловала в грудь. — Прости меня... Вино, роза — это предназначалось мне?

— Это было не просто вино. Это было марочное шампанское высшего качества, — уточнил он каким-то по-детски капризным тоном, который ей в нем очень нравился. Она понимала, что ему хотелось, чтобы его пожалели.

Подняв голову, Дэни одной рукой погладила его по щеке, а другой — по груди.

— Пошли наверх, и ты получишь от меня компенсацию.

Утром зазвонил телефон.

Пробуждаясь от глубокого, безмятежного сна без сновидений, Логан чертыхнулся, быстро схватил трубку, чтобы Дэни не проснулась, и глухо прорычал:

— Надеюсь, это вопрос жизни и смерти.

— Хорошенькое приветствие для старых друзей.

— Ах, черт. — Логан опустился на подушку.

Дэни зашевелилась и, зевая, спросила:

— Кто это?

— Картошка.

Дэни уткнулась ему под мышку и улыбнулась.

— Подозреваю, ты не один и вскоре за этим последует обручение, — жизнерадостно проговорила Картошка.

— Ты угадала.

— Дэни?

— Права и в этом.

— Ой! — воскликнула она. — Я так рада! Затем приглушенным голосом поделилась новостью с мужем: — С ним Дэни, Джерри, и я думаю, что мы позвонили им в самый интересный момент.

— Картошка! — заорал в трубку Логан. — Зачем ты звонишь? У тебя десять секунд.

— Выяснить, что происходит.

— Что-то определенно происходит. До свидания!

— Постой. Я хочу знать все подробности. Например, для чего была устроена вся эта бодяга вчера и как прошел обед у губернатора?

Логан под одеялом переплел свои ноги с ногами Дэни. Она раздвинула бедра, позволив его ноге расположиться между ними, и положила руку ему на грудь. Зажав трубку между ухом и плечом, Логан одной рукой отвел волосы с ее щек, а второй сдвинул простыню вниз. Смотреть на обнаженные переплетенные тела было почти так же приятно, как и дотрагиваться друг до друга.

— Ты имеешь в виду пресс-конференцию? Откуда ты узнала?

— Так ведь я была там. Отвозила Полетт к дантисту и увидела какую-то суету. И кто был в центре внимания, как ты думаешь? Двое моих приятелей — Логан и Дэни! А потом этот хмырь из одной провинциальной техасской газеты подкатил ко мне и стал пытать, была ли мисс Куинн у меня в гостях. Я сказала «да». Я правильно поступила?

— Ты оказала добрую услугу, Картошка. Напомни мне, чтобы я пригласил тебя на ленч.

— Мог бы заранее предупредить.

— У меня не было возможности рассказать тебе все подробности. Ты должна была понять, что руки у меня связаны.

— Так расскажи сейчас.

— Нет.

— Почему?

— Потому что мои руки сейчас заняты.

Картошка ахнула и после короткой паузы сказала:

— Не буду спрашивать чем.

— Не надо, Картошка. Даже ты смутишься.

Картошка театрально вздохнула:

— Как ты думаешь, вы сможете вылезти из кровати к завтраку? Ходить-то еще в состоянии?

— Не уверен. Но если даже не смогу, это стоит того.

— Логан, — рассердилась Картошка, — вы с Дэни сможете выбраться к завтраку? Джерри собирается жарить баранину на вертеле. Я уверена, что вы зверски голодны, — саркастически добавила она.

— Ты голодна? — спросил Логан у Дэни, которая покусывала его за бицепсы.

— Как волк, — пробормотала она.

— Мы будем у вас, — сказал он в трубку.

— Не заставляйте нас ждать.

— Не заставим. До свидания. — Логан передал Дэни трубку, и, хотя оттуда еще доносился голос Картошки, она положила трубку на рычаг.

— По-моему, Картошка сказала — в одиннадцать тридцать, — пробормотал он, втягивая в рот ее сосок. — Нам надо поторопиться.

Его рука скользнула к животу и протиснулась между бедер. Дэни обняла Логана за шею и закрыла глаза в предвкушении ласки.

— Ты издаешь такие сладкие стоны, когда я целую тебя в этом месте, — шепотом сказал Логан, дергая ее за кудряшки.

Дэни открыла глаза, на ее щеках появился румянец.

— Да-да. Послушай внимательно, и ты сама услышишь.

Логан сполз пониже.

— Логан, — простонала она, испытывая все возрастающее наслаждение от его ласк, — у нас нет времени.

— Есть время. — Он принялся чертить языком круги вокруг пупка.

— «Быстрячок»? Мальчишки, кажется, так это называли?

Тем временем его губы от пупка двинулись

ниже, и мысли Дэни сосредоточились на все более сладостных ощущениях.

Через несколько минут Логан оторвал голову от теплой душистой шеи Дэни и покинул тесный гостеприимный грот любви. Он несколько раз легко поцеловал ее. Когда Дэни подняла отяжелевшие от истомы веки, она увидела в его глазах веселых пляшущих бесенят.

— Мы, мальчишки, и сейчас называем это «быстрячок».

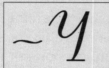то это за пойло? — ворчливо проговорил Логан. Он ковырял ложкой в тарелке, стоящей перед младшим отпрыском Картошки, пока хозяйка дома вместе с Дэни носили еду из кухни на стол в патио. — Ребенок это просто ненавидит! Он все выплевывает!

На Картошку не произвели ни малейшего впечатления ни слова Логана, ни капризы ребенка.

— Это ему полезно.

Логан с подозрением понюхал клейкое месиво на тарелке.

— М-да, похоже на вещество, которым обычно усыпан птичий двор моего отца.

— Логан! — воскликнула Дэни, однако в ее взгляде можно было прочесть обожание. Наклонившись, чтобы поцеловать его в щеку, она взъерошила ему волосы. Предоставив малышу самому разбираться с кашей, Логан повернулся на скамейке, развел колени и притянул к себе Дэни. Он уткнул голову ей в живот и без зазрения совести стал ртом щекотать его.

— Картошка, как у тебя остальная еда? — крикнул Джерри. — Баранина готова.

— Хорошо! Давай быстрее, а не то имей в виду, если Дэни и Логан еще больше разгорячатся, нам придется отправить детей в дом.

Трапеза была шумной. Дети болтали, смеялись и постоянно что-нибудь роняли или разливали. Дэни и Логан, прижавшись, угощали друг друга лакомыми кусочками, умудряясь при этом целоваться.

— Я хотела, чтобы вы в конце концов оказались вместе, вы прямо-таки плавитесь от желания, — заметила Картошка. Младший из детей, сидя на высоком стуле, стал стучать чашкой по пластиковому подносу. Другие убежали играть. Дэни и Логан, похоже, не замечали того, что происходит вокруг, и сидели в обнимку.

— Оставь их в покое, — сказал Джерри жене.

— Да, оставь нас в покое, — как эхо повторил Логан. — Подумаешь, большое дело! Ты и раньше видела, как мы обнимаемся.

— Тогда вы были неразумными горячими детьми. Но сейчас мы не в автобусе, и на дворе день. Можете вы вести себя как взрослые люди?

— Конечно! Я, например, думаю сейчас о том, о чем думают вполне взрослые люди.

Джерри хмыкнул.

— Ты поосторожнее, Картошка. Мы удостоены чести принимать таких знаменитостей в нашем скромном жилище.

Логан внезапно оторвал взгляд от лица Дэни и повернулся к другу:

— Знаменитостей? То есть нас? Тоже мне выдумал!

— Во вчерашней вечерней газете помещен подробный отчет о пресс-конференции. Ты еще не читал? — спросил Джерри.

Логан снова повернулся к Дэни:

— Нет. Вчера вечером нам было некогда читать газеты.

— Не строй из себя дурачка, Джерри, — вмешалась Картошка. — Конечно, им было не до газет.

— Если интересует, — продолжал Джерри, никак не реагируя на укол жены, — из тебя сделали какого-то Карнеги, который раздает свою собственность.

— Этой собственности сущий пустяк, — смиренно пробормотал Логан.

Дэни пригладила пальцем бровь Логана и задумчиво спросила:

— Да, а почему ты отдал участок нам, Логан? Это из-за того, что случилось вчера утром?

— А что случилось вчера утром? — вдруг заинтересовалась Картошка и повернулась к Логану и Дэни. Она просто обожала загадки.

— Да нет, Дэни, — шепотом сказал Логан. — Я вовсе не покупал у тебя прощения. Ты, пожалуйста, так не думай.

— Прощение? За что прощение? — спросила Картошка у не менее озадаченного Джерри. — За что она должна его простить?

Джерри пожал плечами.

— Тогда почему? — тихо спросила Дэни.

— Потому что ты просила меня об этом, — шепотом ответил Логан. Взяв ее руку, он по очереди поцеловал пальцы. — Я решил отдать участок еще... до этого.

— До чего до этого? — Картошка вновь попыталась что-нибудь выяснить.

— Когда я заключал с тобой сделку...

— Какую такую сделку?

— Я... я уже решил для себя, что отдам тебе этот участок, просто так, без всяких условий.

— Почему? — Глаза Дэни затуманились слезами.

— Потому что ты этого хотела. И в моей власти было дать это тебе. Ты всегда должна была довольствоваться дешевым напитком, в то время как другие ребята покупали своим девчонкам пломбиры с орехами. Мне приходилось отказываться от завтраков целую неделю, чтобы купить для тебя букетик к корсажу на танцы. Это всегда были всего лишь гвоздики, а не орхидеи, которые ты заслуживала... Ты бы знала, как я рад, что могу тебе что-то дать.

— Потому что любишь меня?

— Именно поэтому.

Они стали целоваться и оторвались друг от друга, только когда вдруг услышали чье-то всхлипывание. Оба в изумлении уставились на Картошку, сидевшую по другую сторону стола.

Она безуспешно пыталась с помощью бумажной салфетки остановить на щеках поток слез. Джерри похлопывал ее по плечу.

— Ну что ты, право, Картошка...

— Это так кра-си-и-иво...

Все засмеялись, а Картошка, несколько устыдившись собственной сентиментальности, встала и начала убирать со стола.

— Я так рада за вас! Вам следовало бы жить вместе все эти десять лет. Теперь вы поженитесь, и я счастлива.

Ей стали помогать. Логан похлопал Дэни

по плотно обтянутому джинсами заду и шепнул ей на ухо:

— Я тоже!

И бросился помогать Джерри. В это время Картошка прочитала детям лекцию о том, как опасно швырять друг в друга бейсбольные биты.

Никто не обратил внимание на расстроенное выражение лица Дэни. Она вдруг словно очнулась от безмятежного сна, будто кто-то вылил на нее ушат холодной воды.

— Что случилось?

Наблюдательность Логана поразила ее. Она пыталась скрыть от всех внезапный приступ отчаяния, когда они покидали Картошку и Джерри. Войдя в комнату Логана, она бросила на диван сумку, подошла к широкому окну и скрестила на талии руки.

— Почему ты решил, что что-то случилось?

— Потому что ты вдруг стала такой молчаливой сразу после завтрака. Глаза твои потухли. И ты не целовала меня ровно двадцать две минуты и шесть секунд. Я мучительно переживаю, а ты даже не замечаешь этого.

Она повернулась к нему и улыбнулась:

— Это можно исправить.

Они поцеловались. Затем, обняв любимую и положив подбородок ей на голову, Логан последовал ее примеру и стал задумчиво смотреть на деревья за окном.

— На какое-то время это меня успокоит, но все же мне хотелось бы, чтобы ты рассказала, что тебя беспокоит.

Ей было приятно чувствовать у себя за спиной крепкое тело Логана, руки, обнимавшие ее, слышать его низкий голос, ощущать его дыхание в волосах.

— Должно быть, я просто устала. Наверное, сказывается прошедшая ночь.

— Я тоже устал. — Руки Логана скользнули по ее груди. Его весьма вдохновило то, что она не была закована в лифчик. Он пожевал губами ухо Дэни. — Хочешь подняться наверх и вздремнуть?

— Славная мысль, — сказала она, чувствуя, как его пальцы играют с затвердевшими сосками. — Только, может, попозже.

Логан тут же убрал руки.

— Что с тобой, Дэни?

Она мужественно встретила его взгляд. Да, разговор будет непростым. Дэни понимала это.

— Как ты представляешь наше будущее, Логан?

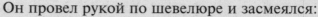

Он провел рукой по шевелюре и засмеялся:

— Ну, я думаю, завтра мы навестим моих стариков. Кстати, они звонили утром, когда ты была в душе. Они читали газету и хотят видеть тебя.

— Я тоже хотела бы с ними встретиться. — Дэни отвернулась. — Но я не об этом. Я о будущем вообще.

— Если вообще, то я планирую, что мы поженимся или, точнее, поженимся повторно, и как можно скорее. Я хочу, чтобы мы жили здесь, воспитывали детей, занимались любовью каждую ночь, каждое утро и каждый день и жили вместе до самой старости... А какие у тебя планы и намерения?

В его тоне чувствовался некоторый вызов, и это подтвердило опасения Дэни, что разговор предстоит нелегкий.

— Если бы это произошло...

— Ты не могла бы повернуться ко мне лицом, если мы разговариваем? — перебил ее Логан.

Именно этого Дэни и не хотелось. Если повернется, то может пойти на попятную, на компромиссы, уступить, а она не может этого допустить. Тем не менее она повернулась, хотя не подняла на Логана глаз.

— Если бы мы были женаты все это время, то были бы очень даже счастливы. Но случилось иначе, Логан. Мы сейчас совсем не те, что раньше.

— Я — нет. Я все так же люблю тебя и хочу с той же силой, что и прежде. И даже больше.

— Хорошо, — согласилась она. — Но я другая. Я узнала, что жизнь не всегда идет так, как нам хочется. Произошло то, что произошло. Незапланированное. Вмешалась судьба.

— К чему эта философия?

— А к тому, что я теперь не вижу все в столь радужном свете.

— Ты думаешь, я вижу?

— Я не могу вдруг измениться и как по волшебству стать такой, какой ты хочешь меня видеть.

— По-моему, мне надо выпить. — Логан подошел к бару, плеснул в бокал порцию виски и опрокинул в рот. — Если не ходить вокруг да около, то ты хочешь сказать, что не будешь счастливой, если станешь моей женой.

— Я была бы безумно счастлива, Логан, — серьезным тоном проговорила Дэни. На ее ресницах сверкнули слезинки.

— Тогда о чем мы здесь препираемся? Ведь мы препираемся с тобой, не правда ли?

— Я не хочу препираться. Просто чувствую ответственность за то, что не в силах уйти от прошлого.

Логан скрестил руки на груди и оперся о стойку бара.

— Ты ушла от меня десять лет назад. Что мешает тебе бросить то, что ты имеешь сегодня?

— Не надо этих обвинений, Логан! Я не могла тогда выйти за тебя замуж, как не могу это сделать и сейчас. По разным причинам, но одинаково серьезным.

Он в уме сосчитал до десяти, чтобы справиться с подступающим гневом. У него заходили желваки, взгляд, казалось, способен был просверлить ее насквозь.

— Я снова спрашиваю, каковы твои планы и намерения?

— Разумно, чтобы мы оба сохранили свое положение. По мере возможности иногда могли бы встречаться.

— Быть друзьями и любовниками и не жить вместе? В этом суть твоего предложения?

Ей не нравились его резкий тон и саркастическое выражение лица, но она облизнула губы и сказала:

— Что-то вроде этого.

— Ничего не получится! — Он рубанул воздух руками, повернулся к бару, снова налил виски и одним глотком выпил. — Я хочу, чтобы ты была моей женой, Дэни, а не приходящей любовницей, которую буду видеть несколько часов в неделю... Нечто вроде хобби! В качестве такового я могу выбрать и гольф.

— Все или ничего. Так, что ли?

— Да, — твердо заявил он.

— Ты всегда был страшно упрямый, — не удержалась она от обвинения. — Я бы часто бывала здесь. А ты мог бы прилетать на своем чудо-самолете в Даллас и...

— И любезничать с твоими друзьями? Общаться с людьми наподобие твоего бывшего мужа? Нет уж, уволь меня, дорогая! Тебе надо бы узнать меня получше, чтобы не делать подобных предложений, Дэни. Какова бы ни была величина моего счета в банке, я не изменился. Я принадлежу, как и прежде, этой земле, этому городу, живу бок о бок с такими людьми, как Джерри и Картошка, — простыми, трудолюбивыми людьми среднего класса.

— Это не имеет никакого отношения к классу... Причина лишь во мне, Логан. Я связана обязательствами.

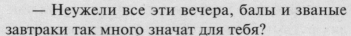

— Неужели все эти вечера, балы и званые завтраки так много значат для тебя?

— На твой взгляд, это всего лишь вечера, Логан. Но полученные с помощью подобных мероприятий деньги жизненно необходимы.

— Допускаю, что так. И коль это так важно для тебя, я с радостью и гордостью буду помогать тебе здесь.

— Но я обязана выполнить работу, которая не закончена.

— И это важнее меня? Важнее нашей любви? Важнее нашей жизни?

Она опустила глаза под его сверлящим взглядом. Руки дрожали. Дэни понимала, что со слезами ей не справиться, поэтому не делала никаких попыток их сдержать.

Вот к чему все пришло. Дэни любила Логана каждой клеточкой своего тела, всей душой, всем сердцем. Но она взяла обязательство несколько лет назад. Это обязательство тоже диктовалось любовью, но любовью другого рода. Неужто придется изменить этой любви ради любви другой?

Логану никогда не понять. Он попытается переделать ее, будет убеждать пойти на компромисс. Но она не может сделать этого. Она дала клятву никогда не отступать, как бы трудно ей ни было. Тогда она действительно не могла поступить иначе. Не может и сейчас.

Дэни сделала настолько глубокий вдох, что почувствовала боль в груди, а главное — с этим вдохом она убивала последний шанс на то, чтобы на всю жизнь остаться с Логаном. Сейчас нельзя долго размышлять, иначе она не сможет произнести эти слова.

— Моя благотворительная деятельность для меня важнее.

Логан поставил бокал на стойку бара. Он не отрываясь смотрел на свои руки, которые только что сжимали бокал с такой силой, что побелели костяшки пальцев. Когда он поднял наконец на нее взгляд, она прочитала в его глазах презрение.

— Нам придется ждать еще десять лет? Что ж, это будет просто великолепно.

— Дэни, честное слово, вы могли бы быть повнимательнее, — проговорила миссис Менеффи, потряхивая серебристо-голубыми кудрями.

Дэни пошевелилась в кресле:

— Я думала... Простите, о чем вы спрашивали?

— Я спрашивала, сколько автобусов направляется в лагерь Вебстера на следующий уик-энд.

— Полагаю, два. Многие семьи поедут на своих машинах.

— Так сколько всего людей мы можем ожидать?

— Около двухсот пятидесяти... Приблизительно.

Миссис Менеффи повернулась к другому члену комитета:

— Вы можете обеспечить освежающими напитками такое количество людей? Самыми обыкновенными.

Сейчас, когда внимание временно было переключено на других, Дэни позволила себе снова вернуться к своим мыслям. Трудно поверить в то, что минуло почти два месяца с того момента, как она рассталась с Логаном. Боль до сих пор не проходила, оставаясь все такой же острой и мучительной. Дэни надеялась, что она вот-вот затихнет, однако надежде не суждено было сбыться. Утомительная работа, в которую она с головой окунулась в эти недели, не принесла ожидаемого успокоения.

— Он совершенно изумительный человек! Вы согласны, Дэни?

Вопрос Менеффи взорвался в мозгу, словно прилетевший неизвестно откуда снаряд.

— Что? Кто?

— Мистер Вебстер, разумеется. — И пояснила всем присутствующим: — Он вложил всю душу и сердце в этот проект. Лично наблюдал за реконструкцией зданий, даже выполнял некоторые плотницкие работы. Когда я говорила с ним по телефону, он заверил, что все честь по чести будет сделано к следующей неделе... Дэни, вы уведомили телевидение и прессу об этом?

— Я очень сомневаюсь, что ТВ откликнется, миссис Менеффи, — рассудила Дэни, — тем не менее я отправила пресс-релиз тем, кому сочла нужным.

— Отлично.

Она закрыла заседание, однако успела перехватить Дэни, когда та уже собралась уходить.

— Я удивлена, что вы большую часть работ в лагере Вебстера возложили на других, Дэни.

Дэни догадывалась, какую критику может сейчас услышать. Внешне миссис Менеффи похожа на добрую бабушку, однако у нее был острый как бритва язык.

— Я была занята на других проектах, — сухо ответила Дэни. Она не произнесла вслух, но всем своим видом показала, что, если этой старой перечнице такое не по душе, пусть катится ко всем чертям.

— Разумеется, вы были заняты, — согласилась миссис Менеффи и похлопала ее по руке. — Я вовсе не хочу сказать, что вы бездельничали.

— Я вкалывала как черт.

Дэни быстро повернулась и ушла, пока эта старая склочница не оправилась от шока, впервые услышав ругательства из уст Дэни Куинн. Руки ее тряслись, когда, сев в машину, она вставила ключ зажигания. Ее душил гнев. Это так здорово — испытать гнев! Настоящий гнев, а не какую-то стерильную апатию, в которой она пребывала последние несколько недель.

У миссис Менеффи были некоторые основания для критики. Вернувшись из Хардуика в Даллас, Дэни переложила большую часть дел на добровольных помощников. Подстегнуло ее к этому то, что общество «Друзья детей» решило открыть лагерь еще до окончания сезона.

Дэни не хотела быть в центре внимания. Ей стало известно, что Логан развил активную деятельность в этом деле, и она опасалась столкнуться с ним на каком-либо собрании или на строительстве. Поэтому всю текущую работу поручила другим.

Однако, похоже, на следующей неделе ей отвертеться не удастся. Все дети знали и ожидали, что должно произойти нечто грандиозное. Они были взволнованы не меньше родителей. И Дэни не имела права их разочаровать.

Однако где найти силы, чтобы вынести презрение Логана? Она не могла раскрыть ему причину того, почему должна выполнять эту работу. Он, наверное, считает, что Дэни ждет, чтобы ее пожалели. Но она никогда и никого не просила о жалости. Способен ли Логан понять, какие мотивы побудили ее взять на себя обязательства? Раньше Дэни не понимали ни родители, ни муж.

Ей пришел на память визит к родителям неделю назад. Мать сказала:

— Дэни, дорогая, ты выглядишь бледной. Ты здорова?

— Я плохо сплю в последнее время.

— Кофеин. Тебе нужно уменьшить употребление кофе, кока-колы и чая. Но не в данный момент.

Мать протянула ей чашку тепловатого чая, который Дэни терпеть не могла. Однако, приходя с обязательным визитом, она вынуждена была мириться с непременной чашкой чаю в гостиной, обставленной настолько пышно и безвкусно, что Дэни казалось, будто ей здесь не хватает воздуха.

Миссис Куинн сделала пару глотков и критически оглядела дочь.

— С тех пор как ты вернулась из этого злосчастного городка, ты просто сама не своя. Я не виню тебя. Я возненавидела его с того момента, как твой отец привез нас туда. До сих пор не могу ему простить этого.

— Я была там очень счастлива. Мне нравится этот небольшой городок.

— Там не было даже частной школы.

— Мне нравилась обычная средняя школа. Это были два счастливейших года в моей школьной жизни.

— Подозреваю, ты видела его.

Это был один из трюков, которые мать часто использовала в разговорах. Смысл заключался в том, чтобы заставить собеседника уйти в оборону.

— Да. Я видела его, — сказала Дэни. Она поставила чашку и посмотрела матери прямо в глаза. — И он еще более красив, чем был. Неотразим. Харизматичен. И я до сих пор его отчаянно люблю.

— Не говори подобных вещей, Дэниэль, — повысила голос мать. — Мы с отцом поступили совершенно правильно. Это был лучший выход для тебя.

— Нет, неправильно. Это был лучший выход для вас. А я никогда не переставала его любить. Логан — единственный человек, которого я когда-либо любила.

— Он остался таким же дерзким и невоспитанным, как и раньше. Да, я читала о нем. Сейчас, когда у него появились кое-какие деньги, он разбрасывает их направо и налево, как последний дурак... Противно! Презираю такую низкопробную демонстрацию богатства.

Дэни оглядела гостиную. Ее трижды перекрашивали за последние четыре года.

— Вижу, — проговорила Дэни, понимая, что ее саркастический взгляд не дошел до матери.

— Стало быть, после того как ты с ним повидалась и сейчас высказала свои смехотворные мысли о любви, нам следует опасаться, что он где-нибудь снова возникнет? Твоего отца хватит удар.

— Нет. Вы можете быть спокойны. Все позади.

— Сейчас, когда он в центре внимания, я думаю, он вряд ли уделил тебе много внимания.

— Между прочим, — вставая из-за стола, сказала Дэни, — он просил меня выйти за него замуж.

— И ты отказала? Почему же?

Дэни посмотрела на мать, и вдруг ей стало грустно оттого, что они такие разные. Так было раньше, так будет всегда.

— Не тебе об этом спрашивать, мама.

Миссис Куинн невозмутимо сделала глоток чаю.

— Мы с отцом собираемся в лагерь Вебстера по приглашению миссис Менеффи. Она звонила сегодня.

Это была еще одна небольшая бомба, цель которой — привести человека в замешательство.

И она достигла-таки цели, думала Дэни, подъезжая к гаражу недалеко от своего дома. Что и говорить, новость была удручающая.

Однако не следует удивляться, что они приняли приглашение миссис Менеффи. Родители никогда не упустят возможности увидеть, насколько дерзким, невоспитанным и богатым был на самом деле Логан.

Он увидел, как Дэни вышла из автобуса. Почему она ездит в автобусе? Это был не какой-нибудь роскошный скоростной, а обычный школьный автобус, новая окраска которого не могла скрыть все его несовершенство.

Как всегда красивая, Дэни выглядела несколько утомленной и похудевшей. Поверх бежевого платья на ней был коричневого цвета блейзер. Волосы зачесаны назад, что подчеркивало угловатость осунувшегося лица. Она вела за руку умственно отсталого ребенка. Когда мальчик увидел яркие флаги и шары, услышал музыку, то улыбнулся Дэни так, словно перед ним была богиня, которая исполнила его самое заветное желание. Получив от нее разрешение, он присоединился к другим детям, сидящим за столом. Логан остановился под деревьями. Он не хотел, чтобы она его увидела. Дэни приветствовали аристократы и бедные — жертвователи и получатели. Она обнимала детей, не делая никаких различий между ними, родители целовали ее. Когда Дэни стала рассказывать о том, что представляет собой лагерь, люди ловили каждое ее слово. Очевидно, она была для всех чем-то вроде идола.

Один из детей, взволнованный происходящим, опрокинул чашку с напитком ей на платье и разразился отчаянным плачем. Дэни взяла со стола салфетку и встала на колени, но вовсе не для того, чтобы промокнуть пятно. Она стала вытирать слезы ребенка и говорила с ним до тех пор, пока тот снова не заулыбался.

Можно ли ее назвать светской красавицей?

В глубине души у него зародилось предчувствие, перешедшее в уверенность.

Он ошибался!

Подъехал второй автобус и остановился под деревьями. Механический лифт опустил инвалидную коляску. На девочку в коляске невозможно было смотреть без боли в сердце. Ноги и все тело ее были изувечены. Но когда Дэни подошла к ней и наклонилась, девочка протянула костлявую искривленную ручонку и ухватилась за золотистые волосы. Прическа была нарушена, но Дэни, похоже, даже не обратила на это внимания. Она была занята разговором с малышкой.

Дэни достала из карманчика блейзера носовой платок и вытерла обслюнявленный ротик девочки. Сделала все быстро, естественно, с любовью, без каких-либо колебаний. Было видно, что ей и в голову не приходило считать это чем-то неприятным. И продолжала с улыбкой разговаривать с ребенком.

Из автобуса вышла смущенная пара. Дэни сердечно поприветствовала молодую чету и показала, куда нужно идти. Отец покатил коляс-

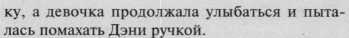

ку, а девочка продолжала улыбаться и пыталась помахать Дэни ручкой.

Лицо у Дэни светилось, словно она находила радость в общении с этими обездоленными детьми или знала секрет источника счастья.

«Боже милостивый!» Его пронзила догадка, взорвавшаяся в мозгу как снаряд. Ноги сами понесли его к ней.

10

эни!
Она испытала нечто
вроде шока, услышав
его голос. Да, Дэни
знала, что он будет здесь. Но еще не успела мо-
рально подготовиться к встрече с ним. Впрочем, зачем себя обманывать, она никогда бы к
ней не подготовилась. Тем не менее встречи не
избежать. Дэни повернулась и взглянула на
него:

— Привет, Логан.

Он смотрел на нее таким пронизывающим,
испытующим взглядом, что впору прийти в замешательство. Им владело какое-то сильное
чувство, которое она затруднялась определить.

Не гнев и не враждебность, как она могла
ожидать. Это было... Впрочем, Дэни не знала,
что это такое.

Она нервно прижала руки к груди и сцепи-
ла пальцы.

— Огромное тебе спасибо, Логан. Все сделано изумительно. Ты сотворил настоящее чудо. Дети...

— У тебя есть ребенок, я не ошибся?

Она задохнулась, не в силах выдохнуть воздух из легких, словно ей нанесли сильный удар под дых. Дэни и в голову не пришло соврать или ответить уклончиво. Его поза, глаза, голос требовали, чтобы она сказала правду.

— У меня была девочка, — тихо произнесла Дэни. — Она умерла.

Логан зажмурился, на лице появилась гримаса боли. Напряжение не сразу отпустило его. Расслабилась шея, затем дошла очередь до плеч и рук. Открыв глаза, он сказал:

— Расскажи мне.

Сейчас, когда он узнал главное, ей захотелось поделиться с ним. Закрытый наглухо уголок в ее сердце приоткрылся. Это будет такое облегчение — исповедаться Логану. Подобное искушение она испытывала не раз за последние несколько лет.

Взяв Логана за руку, Дэни повела его к одному из павильонов на открытом воздухе, который предназначался для проведения лагерных мероприятий. Она села на один конец скамейки, он — на другой.

— Моя малышка Мэнди родилась физически недоразвитой и умственно отсталой, — без преамбулы начала Дэни. — Кроме того, она пережила травму при родах.

— Я не знал, что у тебя был ребенок.

Дэни грустно улыбнулась:

— Мало кто знал об этом. Я была настолько потрясена, узнав о своей беременности, что отказалась от участия во всех общественных мероприятиях. Когда родилась Мэнди, Фил пришел в ужас, так же как мои и его родители. Они называли ее, — Дэни нервно передернула плечами, — разными кошмарными именами. Фил даже не хотел забирать девочку из больницы.

Логан видел, как тяжело было Дэни все это вспоминать. Она сжала ладони в кулаки с такой силой, что побелели суставы пальцев. Логан с трудом сдержал себя, чтобы не накрыть их своими ладонями. Ему вдруг страшно захотелось схватить этого выродка Фила за горло.

— Все были против меня. Мне пришлось выдержать борьбу за то, чтобы привезти ребенка домой. — Она подняла полные слез глаза на Логана. — Я любила ее. Она отнюдь не была красивой. Но была такой беспомощной и страшно нуждалась в любви... Она была моей... И я любила ее...

— Продолжай, — хрипло прошептал Логан.

— Все складывалось как нельзя хуже. Я перестала появляться в обществе, потому что ухаживала за Мэнди. Это бесило мужа. В конце концов Фил поставил ультиматум: либо она, либо он. — Дэни невесело засмеялась. — Он не знал, как я обрадовалась, узнав, что Фил хочет развода. Я не могла спокойно смотреть на него, зная о его отношении к собственной дочери.

Она машинально потрогала край юбки, на которой расплылось липкое пятно. Но никто из них этого сейчас не замечал.

— Фил оставил мне приличное состояние — деньги в банке и дом. Мои родители после развода не разговаривали со мной много месяцев, но это меня мало беспокоило. Гораздо больше волновало другое. Здоровье Мэнди все ухудшалось. Ей было около двух лет. Она перенесла три хирургические операции в течение года. Я не буду утомлять тебя подробностями...

— Я хочу знать все подробности, — тихо сказал Логан.

Дэни долго и задумчиво смотрела ему в глаза, после чего продолжила свой горький рассказ:

— Я не могла получить страховку на случай ее госпитализации. Мои родители отказывались платить за лечение девочки. — Из-под век Дэни скатились слезы, она смахнула их. — Они хотели, чтобы Мэнди умерла и не позорила их.

О том же мечтал и Фил. Я продала дом, распродала большую часть драгоценностей и многое другое, чтобы оплатить счета за ее лечение; однако... — Голос задрожал, она проглотила комок в горле. — Врачи не смогли спасти ее. Ночью, во сне, она перестала дышать.

Воцарилось тяжелое молчание. Праздничный шум, казалось, умчался куда-то за миллионы миль. Наконец Дэни заговорила снова:

— На второй день после похорон я дала господу обет работать с такими детьми. Я обещала подарить им заботу и любовь, которую не смогла дать Мэнди. Это обет на всю жизнь, Логан. И пошла я на это осознанно.

Логан встал со скамьи и подошел к кедровой колонне, поддерживающей крышу павильона. Он оперся на нее плечом и невидящим взором стал смотреть на зеленеющий вдали лес. Все становилось на свои места. Теперь ему очень многое стало понятно. Многое, но не все.

— Я очень сожалею, Дэни... Сожалею обо всем. — Он чертыхнулся про себя и стукнул кулаком по колонне. — Стоит мне вспомнить, что я наговорил... С каким презрением отзывался о тебе. Называл испорченной...

— Ты ведь не мог знать, Логан.

— Но мне следовало бы знать! — воскликнул он, резко повернувшись к ней. — Как я мог оставаться настолько слепым по отношению к тому, кого люблю? Должно быть, ты ненавидишь меня за то, что я наговорил!

— Ненавижу? Нет, Логан.

— Ну, должна ненавидеть.

— За что?

— За то, что я круглый идиот! Вот за что!

— Вовсе нет! — горячо проговорила Дэни, направляясь к нему. — Ведь я люблю тебя. А круглого идиота я бы не полюбила.

— Дэни! — В два прыжка он оказался рядом с ней и сгреб ее в объятия. — Ну почему, любимая, почему? Почему не пришла ко мне? Страшно подумать о том, как ты мыкалась одна с Мэнди! Почему не дала мне разделить с тобой свою боль?

Отстранившись от него, она молча посмотрела ему в глаза:

— Ты... Ты хочешь сказать, что хотел бы?

— Господи, ну конечно же! — проговорил Логан, снова привлекая ее к себе. — Почему ты мне не сказала?

— Я хотела, — вздохнула Дэни. — Я не знала, кому выплакать свои слезы. Я нуждалась в тебе. Продолжала любить, но не знала, как ты относишься ко мне. Если помнишь, я оставила тебя на растерзание шерифу. И полагала, что ты ненавидишь меня, что ты так меня и не простил.

— Конечно, умом я могу это понять. Хотя я думал, что ты знаешь меня лучше. Но у тебя было много возможностей рассказать мне об этом позже. Например, в тот день, когда я говорил всякие оскорбительные вещи о светских вечерах и званых завтраках. Почему ты не защищалась и не рассказала о своем обете?

— Это мое собственное решение. Я не могу просить тебя или кого-либо другого заниматься тем же самым. Ты не можешь чувствовать так же, как я.

— Я никогда не буду чувствовать так, как чувствуешь ты, Дэни, потому что не испытал той боли, которую испытала ты, — тихо сказал он. — Но я понимаю твое решение и с радостью присоединяюсь к нему. Я бы сделал это недели... годы тому назад, если бы ты попросила меня.

— Я боялась, что ты станешь отговаривать меня делать то, что я делаю.

— Никогда! Ни при каких обстоятельствах, а тем более сейчас, когда знаю подробности.

— И потом, я не хотела твоей жалости.

— Никакой жалости! Я люблю тебя.

— А я тебя. Ты знаешь об этом. Но ты хочешь жениться на мне. Хочешь иметь детей...

Узнав о Мэнди, возможно, не захочешь рисковать...

Он дотронулся до ее губ.

— Не смей так даже думать! Если ты выйдешь за меня, у нас будет ребенок, Дэни. И я буду любить его, что бы там ни было.

Дэни почувствовала, как спазм сжал ей горло, и она некоторое время не могла говорить.

— Если бы я не любила тебя, то полюбила бы за эти слова.

Он крепко прижал ее к себе.

— Прости меня за то, что я так плохо думал о тебе, и за те слова, которые наговорил в сердцах.

— Ты уже прощен. Я знаю, откуда все пошло. — Она положила ладони ему на грудь и серьезно посмотрела на него. — Хочу, чтобы ты знал: когда я приехала, у меня не было намерения рассказывать тебе обо всем. Я хотела лишь еще раз увидеться с тобой и убедиться, что ты здоров и счастлив.

— Я был несчастлив начиная с того вечера, когда нас разлучили.

— Я тоже.

— От тебя требовалось немалое мужество, чтобы приехать сюда. Ты должна была понимать, что я захочу встретиться с тобой.

Дэни стрельнула в него взглядом:

— Это если мягко выразиться.

Логан негромко рассмеялся:

— Даже тогда, когда вел себя как подонок, я любил тебя. И чем больше любил, тем хуже себя вел... Пойми и прости.

Он нежно поцеловал ее. Страдания, которые не отпускали все последние недели, вдруг отлетели от нее, словно сброшенная старая кожа. Казалось, она мгновенно переродилась под воздействием этого поцелуя.

— Выходи за меня замуж, Дэни.

— Я хочу этого, я хочу этого, — шептала она, уткнувшись лицом ему в шею.

— Так сделай это.

— Но не менее того я предана своему делу.

— А я предан тебе. Во всех смыслах. И почему ты считаешь, что твои обязательства по отношению к этим детям помешают нашей любви? Да ты здорово упала бы в моих глазах, если бы бросила их ради меня или кого-либо другого.

— Мне придется часто выезжать в Даллас. Ты должен это понимать.

— Я доставлю тебя на самолете в любое место. И подумай только: как удобно будет нам с тобой контролировать лагерь Вебстера. — Он пальцем приподнял ей подбородок. — Так как — хочешь или не хочешь выйти за меня замуж?

Дэни прижала ладони к его щекам и притянула к себе.

— Хочу. Я уже говорила тебе об этом десять лет назад.

— На сей раз я намерен удержать тебя.

Они снова поцеловались и не размыкали объятий, пока Логана не бросило в жар. Он отстранился и сказал:

— До того как это произойдет, нам нужно показаться людям. У нас есть перед ними кое-какие обязательства.

— А как насчет обязательств друг перед другом?

Он обнял ее за талию.

— Я определенно намерен выполнить их все, только чуть позже.

Едва Логан и Дэни вышли из павильона, как тут же столкнулись с ее родителями. По всей видимости, они давно наблюдали за ними. Выражение их лиц не предвещало ничего хорошего.

— Здравствуйте, мама, папа, — спокойным тоном произнесла Дэни. — Я только что думала о вас. Вы, конечно, помните Логана.

— Миссис Куинн, мистер Куинн, — вежливо, но без особого почтения приветствовал их Логан.

— Вы можете первыми поздравить нас. Логан и я решили пожениться. Снова.

На несколько секунд воцарилось напряженное молчание, которое прервал мистер Куинн:

— Не сомневаюсь, вы делаете это, чтобы насолить нам за то, что произошло десять лет назад.

— Наоборот, отец. Мы делаем это по той же причине, что и тогда. Мы любим друг друга.

— Знает ли он о твоем ребенке? — спросила мать.

Дэни напряглась. Они готовы пуститься во все тяжкие, лишь бы разлучить их с Логаном, и даже не потому, что Логан плохой, а просто потому, чтобы настоять на своем.

— Да! Знает! Он знает и о том, что благодаря Мэнди у меня хватило мужества разорвать этот брак, вырваться из-под вашего каблука и бросить вам вызов сейчас. Я выхожу замуж за Логана, и вам придется смириться с этим. И не стоит на сей раз посылать за шерифом. Логан — друг губернатора.

— Дэни! — с легким укором произнес Логан, кладя ей руки на плечи, что сразу же успокоило ее. Она доверчиво прильнула к нему. Логан понимал причину гнева Дэни, однако сам он к Куиннам испытывал лишь жалость. Им были не ведомы ни любовь, ни радость. Все в жизни они измеряли ярлыком с указанием цены. Надо благодарить бога за то, что Дэни не переняла от них этих качеств.

— Мы сообщим вам о дне свадьбы. И Дэни, и я — мы оба хотим, чтобы вы пришли. А сейчас просим нас извинить. Миссис Менеффи знаками приглашает нас к репортерам, которые толпятся возле нее.

— Я не понимаю, из-за чего такая спешка? — проговорил Джерри Перкинс, ослабив галстук и положив ноги на кофейный столик. Он глотнул из бокала охлажденного шампанского.

Картошка, устроившись на краю дивана, тоже потягивала шампанское. Туфли ее валялись на полу, а сама она сидела, поджав ноги под себя.

— Может, они вынуждены пожениться, — лукаво сказала она, глядя на пару, расположившуюся на диване напротив. Видя, что те не клюют на ее приманку, комично изобразила испуг: — Это так, признайтесь?

Логан оторвал взгляд от лица невесты и повернулся к Картошке:

— Нет, не так. — И снова обратил лицо к Дэни: — Правда же?

Дэни засмеялась и уткнулась ему в шею.

— Правда. Но мне почти хочется, чтобы

так было. Я не могу дождаться, когда у меня будет твой ребенок.

Прикасаясь губами к ее губам, Логан шепнул:

— Сделаю все возможное, любимая.

Свадьбу сыграли спустя всего лишь три дня после открытия лагеря Вебстера. Это были отчаянно суматошные дни, за время которых Дэни и Логан перевезли ее личные вещи из Далласа в его дом. Они решили сохранить в Далласе ее квартиру, чтобы останавливаться там во время своих наездов в город.

Церемония проходила в конце дня. В церковь были приглашены лишь ближайшие друзья, хотя весь город отчаянно судачил об этом событии. Затем всех пригласили в дом молодой четы на легкий ужин. Картошка и Джерри активно помогали экономке Логана.

Невеста, одетая в шелковое платье янтарного цвета, гармонирующего с цветом глаз, выглядела несколько уставшей. Чуть раньше Логан вынул шпильки из ее волос, и сейчас длинные блестящие локоны падали ему на руку.

— Ну что ж, поели, выпили шампанского, убрали мусор, — сказала Картошка. — Мы можем сделать для вас что-нибудь еще?

— Да, — проговорил Логан, трогая кончики пальцев Дэни. — Вы можете уйти.

Картошка выпрямилась:

— Ах, как грубо!

— Пошли, душа моя, — сказал Джерри, отставляя бокал и поднимаясь с дивана. — У меня складывается впечатление, что мы исчерпали программу пребывания. — Он помог Картошке подняться. — Не забудь про туфли.

— Не устраивай гонку на наш манер, — посоветовал Логан.

— Я и не устраиваю. — На лице Джерри заиграла улыбка сатира. — Все эти разговоры о свадьбе и младенцах настроили меня на романтический лад.

— У тебя всегда романтическое настроение, — сказала Картошка, опираясь на его руку и пытаясь всунуть ноги в туфли. — Забудь все эти блестящие мысли о младенцах. Если ты снова сделаешь меня беременной, я убью тебя. Или выкину еще что-нибудь похуже.

— Не-ет, ты этого не сделаешь, — протянул Джерри. — Кто будет любить тебя так сильно, как я? — Он смачно поцеловал Картошку, и та захихикала. Пожелав спокойной ночи, супруги, обнявшись, ушли.

— Они столько лет вместе и очень счастливы, правда ведь? — задумчиво проговорила Дэни, когда дверь за друзьями закрылась.

— Не больше, чем я. — Логан поцеловал ее в висок. — Нет никого счастливее меня.

— Или меня. Мне сегодня так хорошо, что хочется, чтобы весь мир был счастлив.

Логан снова притянул ее к себе. Он коснулся ее губ, провел по ним языком. Она приоткрыла губы и бессильно привалилась к нему, положив голову на грудь.

— Устала? — Откинув густую гриву волос, Логан стал нежно гладить ей затылок.

— Божественно, — прошептала она.

— Ты настолько устала, что не в состоянии двигаться.

— Это зависит от того, какой смысл ты вкладываешь в это слово, — шаловливо ответила Дэни и подергала волосы на его груди.

— Я имею в виду, что если ты устала, то нет проблем. Мечтой моей жизни было покувыркаться с тобой на диване в гостиной.

Засмеявшись, она подняла голову:

— Почему? Ты, наверное, шутишь?

— А помнишь, как мы всегда шумно возвращались, чтобы слышали твои родители? Ты поднималась к себе, а потом через десять минут тихонько пробиралась в гостиную, где я уже ждал.

— И как только тебе удавалось подбить меня на это? У меня не хватило бы смелости.

— Если бы они застали нас на диване в гостиной, пристрелили бы меня. — Он потрепал ее по щеке. — Интересно, что они думают обо мне сейчас, когда я уже бесповоротно стал их зятем?

— Стыдно сказать, но, по всей видимости, изображают, что весьма всем довольны. Если они сами так не считают, то все другие относят нас к одной и той же социальной группе. А чужое мнение чрезвычайно важно для моих родителей.

— Не будь столь строга к ним, Дэни.

— То, что папа с мамой были сегодня здесь, уже достижение. Хотелось бы, чтобы они и в самом деле были рады за нас, как рады твои родители.

— Они придут к этому. Я покорю их своим обаянием.

— А если так и не придут?

Логан дотронулся до ее волос и мягко сказал:

— Нас это не должно очень беспокоить. — И, поцеловав ее, добавил: — Но ты отвлекла меня. Мы говорили о наших забавах на диване в гостиной. Даже если бы я знал, что меня застрелят, и то не променял бы их ни на что.

— Неужели правда?

— Угу... — Логан повалил Дэни на мягкие подушки и наклонился над ней. — Не знаю, как я удержался и не овладел тогда тобой.

— Я не оказала бы тебе большого сопротивления. — Дэни расстегнула ему рубашку.

— Теперь она рассказывает мне об этом. — Одной рукой он ловко расстегнул пуговицу и передний крючок на лифчике. Сдвинув все это в сторону, залюбовался открывшимся ему зрелищем.

Нагнувшись к ней, он страстно поцеловал ее в губы. Их языки переплелись, жадные и дерзкие.

— Ах, Дэни, ты мне так нравишься!

Накрыв ладонями полушария грудей, Логан принялся их нежно поглаживать. Кончики пальцев привели соски в возбуждение. Он втянул в рот тугие горошины и стал ласкать их языком.

Дэни возбужденно задвигалась, вцепившись в его волосы и выгнувшись ему навстречу.

— Не заставляй меня ждать, Логан.

Он что-то пробормотал и запустил руку под юбку. Скользнув по атласной округлости бедра, добрался до верхнего края чулок. Затем рука последовала выше, к узеньким трусикам. Кружевную перемычку между ног он сдвинул в

сторону и положил ладонь на мягкий треуголь-
ник волос.

Дэни содрогнулась от сладостного прикосновения.

Какое удовольствие и счастье — ощущать
на себе тепло его дыхания. Он целовал ей живот. Целовал шелковистые волосы. Целовал все.
Его губы были нежными, любящими и любо-
пытными. Они несли ей чудо сладострастия.

Наконец она почувствовала, что взрывает-
ся от блаженства.

Логан отбросил свою одежду и лег на Дэни.
Она порывисто прижалась к его горячему телу.
Прошептав ее имя, он глубоко погрузился в
жаркий влажный грот, продолжая шептать поэ-
тичные и страстные слова, которые приводили
ее в не меньший восторг, чем его искусные ласки.

Затем несколько минут они лежали недви-
жимо, как единое целое. Время для них оста-
новилось.

Наконец Дэни пошевелилась.

— Я слишком тяжел для тебя? — спросил
Логан.

— Немного.

Он скатился с Дэни и сел. Глаза ее широко
раскрылись.

— Логан, у тебя все еще...

— Это все ты виновата, негодная девчонка.

Дэни, которая еще несколько минут назад была столь соблазнительно бесстыдной, вдруг покраснела, словно непорочная невеста.

— Очень сожалею, — смущенно произнесла она.

Логан громко рассмеялся:

— А я нет. У меня была возможность пофантазировать.

Он сгреб ее в объятия, жарко поцеловал и усадил к себе на колени. Ее тело приняло его твердую плоть. Она ахала и вскрикивала, испытывая неведомые ранее острые и сладостные ощущения.

— Кажется... ты тоже... против этого... не возражаешь, — прерывистым шепотом сказал Логан. Его губы скользили по шее и груди Дэни.

— Ах, Логан... Логан... Я никогда... не возражаю.

Опустив голову, он втянул ее сосок в рот. Дэни застонала, вцепилась пальцами в его волосы и прижала голову к себе.

— Тебе так нравится? — пробормотал Логан, не выпуская сосок изо рта.

Вместо ответа она развела бедра и, сидя у него на коленях, стала медленно раскачиваться.

Их небрежно брошенная одежда валялась рядом. Нагие, они лежали на диване, тела переплелись, и каждый мог слышать, как бьется сердце другого.

— Я думаю, что каждый порядочный жених в конце концов должен отнести невесту в спальню, — нарушил молчание Логан. Произнес он это томным голосом, лениво водя пальцами по спине Дэни.

— Каждый порядочный жених действительно это сделал бы.

— Вообще-то я всегда считал себя довольно порядочным, — сказал Логан, вставая с дивана и помогая встать Дэни.

Обняв друг друга за талию, они стали медленно подниматься по лестнице.

— Не могу дождаться момента, когда проснусь. Целых десять лет я мечтал, как утром увижу рядом с собой спящую жену. Тебя. — Логан поцеловал Дэни в макушку.

— Означает ли это, что наша брачная ночь закончилась?

Он резко остановился и посмотрел на нее:

— Считаешь, что не закончилась? Ты не устала?

Она с притворной застенчивостью улыбнулась ему, в то время как ее рука скользнула к его животу и ниже.

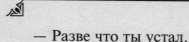

— Разве что ты устал.

Застонав, он повернулся и бросился вниз по лестнице.

— Ты куда? — спросила Дэни.

— Прихватить витамины.

— Витамины?

— Или бутылку шампанского. В зависимости от того, что попадется раньше.

Прислонившись к стене, Дэни негромко засмеялась. Она смотрела, как он удаляется, любуясь его совершенной фигурой, мышцами спины, узкой талией, крепкими, упругими ягодицами, мощными бедрами. Любуясь его наготой. Покачивающейся ковбойской походкой. Любуясь человеком, которого она горячо, безоглядно и давно любила.

В издательстве «ЭКСМО-Пресс»
готовится к выходу роман
Сандры Браун
«Серая мышка»

*

У всех бывают нелегкие периоды в жизни —
даже у такой красавицы топ-модели, как зна-
менитая Рэна. Решив бросить модельный бизнес
и пожить жизнью скромной художницы, Рэна до
неузнаваемости меняет облик и поселяется в маленьком пансионате. Больше всего она боится,
чтобы кто-нибудь не узнал ее. Поэтому появление знаменитого футболиста путает все ее планы. А Трент Гемблин, встретив невзрачную се-
рую мышку в мешковатом платье, вдруг понима-
ет, что она стала для него дороже любой, самой
роскошной красавицы...

Сандра Браун
СЕРАЯ МЫШКА

1

эна столкнулась с ним в коридоре как раз в тот момент, когда собралась идти ужинать.

Она ожидала увидеть в этом доме кого угодно, но только не молодого привлекательного мужчину.

В первое мгновение она испугалась. Реакция была столь же неожиданной, сколь и нелепой. Но она ничего не могла поделать: дыхание стало прерывистым, сердце пустилось вскачь. Почувствовав внезапную слабость, она прислонилась к стене, чтобы не упасть.

— Привет! Кажется, я вас напугал?

Его загорелое, чуть обветренное лицо осветилось улыбкой. Уголки губ поползли вверх, брови изогнулись и приподнялись. Рэне показалось, что они вот-вот скроются под волнистыми прядями каштановых густых волос, небрежно падающих на лоб.

«У этого типа просто возмутительно неотразимая улыбка!» — подумала Рэна, с досадой чувствуя, как бешено стучит сердце.

— Н-нет, — ответила она, слегка заикаясь.

— Разве тетя Руби не сообщила вам о прибытии нового постояльца?

— Да, но я...

Она запнулась, едва не сказав, что скорее уж ожидала увидеть перед собой дряхлого старичка в шерстяном джемпере и с трубкой в зубах, чем загорелого красавца, чьи плечи почти перегородили проход. Она даже представляла себе добродушную улыбку этого милого, оставшегося, увы, лишь в ее воображении, старичка. И в этой улыбке не было ничего общего с той, что расцвела на красивом лице незнакомца. Так улыбаются плейбои и легкомысленные прожигатели жизни, уверенные в своем неотразимом обаянии.

Не переставая улыбаться, он поставил на пол коробку с пластинками и кассетами, которую все это время держал под мышкой, и протянул ей руку:

— Трент Гемблин.

Рэна значительно дольше, чем позволяли приличия, хранила молчание. Затем нехотя подала руку и промямлила:

— Меня зовут мисс Рэмси.

Когда она наконец осмелилась посмотреть ему в глаза, он улыбнулся еще шире, и на его лице появилось выражение веселого удивления. Следовало срочно поставить этого наглеца на место.

— Я могу вам чем-то помочь, мистер Гемблин? — сухо поинтересовалась Рэна.

— Надеюсь, что сам управлюсь, мисс Рэмси.

Улыбка исчезла, но в глазах, в этих бездонных озерах цвета кофейного ликера, все еще искрились озорные огоньки.

Мысль о том, что он, очевидно, находит ее нелепой и смешной, заставила девушку оторваться от стены и гордо выпрямиться.

— Простите, но я должна спуститься в столовую. Руби очень сердится, когда опаздывают к ужину.

— Наверное, мне тоже следовало бы поторопиться. Направо или налево?

— Что, простите?

— Какая из комнат моя — справа или слева?

— Ваша слева.

— А ваша, стало быть, справа?

— Да.

— Что ж, будем надеяться, что я не перепутаю двери и однажды вечером не ворвусь по ошибке к вам. — Он оценивающим взглядом окинул ее с головы до ног. — Сами понимаете, что в этом случае может произойти.

Да он просто издевается над ней!

— Увидимся за ужином, — холодно сказала Рэна и, гордо вскинув подбородок, направилась к лестнице.

Трент прижался к стене, уступая ей дорогу. Однако места все равно оставалось так мало, что Рэна просто не могла пройти, не коснувшись его. Конечно, он подстроил это специально! Она спиной почувствовала его дерзкий, насмешливый взгляд.

Спускаясь по лестнице, она просто кипела от злости. Если бы он только знал!

При желании мисс Рэмси легко могла бы ослепить его, ошеломить, заставить замереть от восхищения. Ей ничего не стоило стереть снисходительную усмешку с этого безупречно красивого лица...

Не дойдя до конца лестницы три ступеньки, она внезапно остановилась и покачала головой, удивляясь себе. И как только подобная мысль могла прийти ей в голову? Все это осталось далеко позади, в ее прошлой жизни. Но почему же именно сейчас, после знакомства с новым постояльцем пансиона миссис Руби Бейли, ей вдруг захотелось стать такой, как

прежде, той Рэной, какой она была еще полгода назад?

Нет, это невозможно! Она сожгла за собой все мосты и знала, что не может себе позволить вернуться к прежней жизни даже на
время, даже просто ради того, чтобы поставить
на место этого самонадеянного Трента Гемблина.

Стать прежней Рэной — красавицей и топ-
моделью, которая купалась в лучах всемирной
славы, а втайне от всех мучилась неуверенно-
стью в себе, — вновь пережить всю эту боль?
Нет, ни за что! Она добровольно отказалась от
известности, от роли суперзвезды, и сейчас ее
вполне устраивала та скромная жизнь, которую она вела. Ей нравилось быть просто мисс
Рэмси, обыкновенной, ничем не примечатель-
ной постоялицей одного из пансионов города
Галвестон.

Правда, пансион миссис Руби Бейли едва
ли можно было назвать обыкновенным — уж
слишком необычной была его хозяйка. Когда
Рэна зашла в столовую, Руби как раз зажигала
свечи в центре обеденного стола, который в честь
нового постояльца был сервирован к празд-
ничному ужину.

— Черт! — воскликнула Руби. Задув спичку, она тщательно осмотрела ногти, покрытые темно-красным лаком. — Я чуть было не испортила себе маникюр!

Возраст миссис Руби Бейли оставался для окружающих загадкой. Выдавали его разве что несколько устаревшие обороты, которые время от времени проскальзывали в колоритной речи хозяйки. Довольно часто общаясь с Руби, анализируя то, что от нее слышала, Рэна смогла вычислить, что миссис Бейли должно быть за семьдесят.

Позвонив по объявлению о сдаче жилья, опубликованному в городской газете Хьюстона, Рэна не могла и вообразить, что пансион содержит такая яркая, колоритная личность.

Следуя инструкциям, полученным в коротком телефонном разговоре, Рэна быстро нашла нужный адрес. С трудом сдерживая восторг, она подошла к зданию в стиле викторианской эпохи, ровеснику города Галвестона. Казалось, ни многочисленные ураганы, ни само время нисколько не затронули его. Дом стоял поодаль от дороги на зеленой тенистой улице, по соседству с другими недавно отреставрированными зданиями. Рэне, привыкшей к высотным зданиям Манхэттена и прожившей десять лет в одном из них, показалось, что она совершила путешествие во времени, вернувшись на сто лет назад. Это ее вполне устраивало, и она очень надеялась, что ей удастся договориться с хозяйкой.

Первое, что бросилось Рэне в глаза, — прическа миссис Бейли. Ее седые волосы не были собраны в унылый пучок, как того можно было ожидать. Напротив, коротко подстриженные, вьющиеся, они выглядели так, будто их владелица только что вышла из модного парикмахерского салона. Худая, как тростинка, женщина ничем не напоминала тех пухлых матрон, какими становятся многие ее ровесницы. Она прекрасно себя чувствовала в джинсах и ярко-красном свитере под цвет герани, произрастающей рядом с крыльцом, и это окончательно разрушило тот образ, который сложился у Рэны после телефонного разговора.

— Эх, откормить бы вас как следует, — сказала миссис Бейли, осматривая гостью с ног до головы. Взгляд карих глаз хозяйки пансиона, все еще способных очаровать любого мужчину, был серьезным и внимательным.

— Проходите. Пожалуй, мы начнем с сахарного печенья и чая из трав. Вы любите травяной чай? Я его обожаю! Он лечит все — от зубной боли до запора. Так что, если вы будете питаться сбалансированно — а именно такую пищу я вам собираюсь готовить, — вы забудете, что такое проблемы с желудком.

Дело решилось к общему удовольствию, и комнату на втором этаже Рэна уже считала своей.

Позднее Рэна заметила, что в свою вечернюю чашечку травяного чая Руби никогда не забывала добавить добрую порцию виски «Джек Дэниелс», но эту маленькую слабость она хозяйке прощала. Как простила сейчас и то выражение, которое появилось на лице Руби, когда та увидела свою постоялицу спускающейся по лестнице.

— А я-то было понадеялась, что хоть сегодня вы приведете себя в порядок. У вас такие роскошные волосы! Вы никогда не пробовали убрать их с лица, сделать высокую прическу? — резонно заметила миссис Бейли.

«Рэна, детка, такие красивые скулы нельзя закрывать! Открой их, похвастайся, дорогая. Я уже вижу, как ты убираешь назад свои густые волосы и они роскошным ореолом обрамляют твое личико и каскадом спадают по спине. Встряхни-ка головой, дорогая! Вот, что я тебе говорил! Боже, какая красота! Клянусь тебе, скоро каждая захолустная парикмахерская обзаведется твоим портретом...» — так говорил когда-то Рэне один модный парикмахер, к которому ее привел Мори. Воспоминания заставили ее улыбнуться.

— Мне нравится и так, Руби.

Миссис Бейли настаивала, чтобы к ней обращались по имени, это помогало ей забыть о своем возрасте.

— Как красиво вы сервировали стол!

— Спасибо, — ответила Руби и тут же огорченно вздохнула: на рукаве платья собеседницы темнело засохшее пятно краски. — Кстати, у вас еще есть время переодеться.

— А разве так важно, что на мне надето?

— Да в общем-то нет...

Лишенные какой бы то ни было элегантности туфли на плоской подошве; мешковатое платье; тяжелые, безжизненно свисающие пряди волос; огромные круглые очки, уродующие худое лицо девушки, — зрелище это навевало на миссис Бейли тоску.

— Вы уже познакомились с Трентом? — удержавшись от дальнейших замечаний, спросила Руби.

— Да, я встретила его наверху.

В карих глазах Руби блеснул озорной огонек.

— Милый мальчик, не правда ли?

— Честно говоря, я не думала, что он такой... молодой.

«Молодой и слишком привлекательный для ... под одной крышей, —

пожав плечами, смирилась Руби. — В любом случае вы надели бы что-нибудь такое же невзрачное, бесформенное. Я бы и хоронить себя не позволила в подобном наряде, а я ведь старше вас лет на тридцать. Я уверена, мисс Рэмси, что стоит вам хоть чуть-чуть постараться, и вы станете настоящей красавицей. — Руби никогда не обращалась к Рэне, как и к остальным постояльцам, по имени.

— Мне все равно, как я выгляжу.

того, чтобы жить с ним... — добавила Рэна про себя. — Только бы он меня не узнал!»

— Мне кажется, вы говорили, что новый постоялец — ваш родственник?

— Племянник, дорогая, племянник. Он всегда был моим любимчиком. Сестра его ужасно баловала, и я, конечно, ее за это ругала. Но она, как и все остальные, ничего не могла с собой поделать. Перед этим ангелочком еще тогда не могла устоять ни одна женщина. Когда он позвонил и сказал, что ему необходим приют на ближайшие три недели, я поворчала немного, намекнула, что мне это жутко неудобно, но на самом деле очень обрадовалась. Как хорошо, что он приехал!

— Так он здесь всего на три недели?

— Да, потом он уедет обратно в Хьюстон.

«Несомненно, он разводится, — мелькнула мысль у Рэны. — Этому племянничку Руби наверняка нужно место, где можно отсидеться, пока не завершится бракоразводный процесс».

Конечно, пусть старушка думает, что этот Трент — ангел небесный, но Рэна с первого взгляда поняла, кто скрывается за маской мистера Обаяние, — нахальный, самонадеянный плейбой и бабник. Ей меньше всего хотелось, чтобы их пути пересеклись. Что ж, такой мужчина, как Трент Гемблин, вряд ли станет обращать внимание на бесцветную, дурно одетую мисс Рэмси.

— Боже, как вкусно пахнет!

Бархатный мужской голос заставил девушку вздрогнуть, а тут и сам Трент появился из-за портьеры, закрывающей дверной проем. От его уверенных шагов жалобно заскрипели деревянные половицы, зазвенели стеклянные безделушки и посуда. Загорелые сильные руки —

с такими можно было бы смело идти в натурщики к самому Микеланджело — легли на плечи Руби.

— Тетушка, а чем вы нас накормите? — нежно проворковал Трент.

— Отпусти меня, медведь, — притворно возмутилась Руби, выскальзывая из его объятий. Однако ей не удалось скрыть радости, засветившейся в ее глазах при появлении любимого племянника.

— Садись и веди себя прилично. Надеюсь, ты помыл руки?

— Конечно, тетушка, — послушно ответил Трент, едва заметно подмигивая Рэне.

— Будь хорошим мальчиком, и я разрешу тебе сидеть во главе стола. Мисс Рэмси нальет тебе рюмочку хереса, если ты вежливо попросишь ее об этом. Простите, но я должна ненадолго вас покинуть — пора подавать горячее.

Трент обернулся и, улыбаясь, проводил глазами ее хрупкую фигурку, облаченную в нечто голубое и шуршащее.

— Чудесная у меня тетушка, а?

— Да, согласна с вами. Я ее обожаю.

— Она пережила трех мужей, и никому из них не удалось погасить ее неуемный темперамент. — Трент покачал головой, словно недоумевая, как у нее это получается, и одновременно восхищаясь ею. — Где вы обычно сидите?

Рэна подошла к привычному месту, но не успела она взяться за спинку стула, как Трент подлетел к ней из другого конца комнаты и с грацией истинного кавалера отодвинул стул.

Рэну приятно поразило, что Трент оказался намного выше ростом, чем она. Она всегда считала себя высокой, но, даже если бы она была в туфлях на шпильках, ей все равно пришлось бы смотреть на него снизу вверх.

Наконец Рэна опустилась на стул из розового дерева с изогнутой в форме лиры спинкой, а Трент занял место во главе стола.

— Вы давно здесь?

— Полгода.

— А до этого где жили?

— В восточной части Штатов.

— Я бы не сказал, что у вас техасский выговор. — Трент широко улыбнулся.

Рэна не смогла удержаться от улыбки:

— Не могу с вами не согласиться.

Чтобы не смотреть на собеседника, Рэна сделала вид, что занята изучением причудливого узора на серебряной ложке.

— Вы были знакомы с постояльцем, кото-

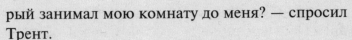

рый занимал мою комнату до меня? — спросил Трент.

— Вы имеете в виду предыдущего гостя?

— Гостя? — Он чуть недоуменно приподнял брови.

— Дело в том, что Руби называет нас гостями, поскольку слово «постоялец» ей кажется слишком официальным.

— А, понятно.

Небрежно расстегнутый воротник его рубашки открывал взору загорелую мускулистую шею и часть груди. При виде темного треугольника кудрявых волос Рэна почувствовала, как ее охватывает приятное чувство невесомости.

— Вы познакомите меня с распорядком дня? Когда у нас отбой? — снова обратился к ней Трент.

«Ну вот, опять он за свое», — раздраженно подумала Рэна. Она знала многих мужчин, которые в отношениях с женщинами всегда упорно гнули свою линию, и, надо сказать, у некоторых это получалось лучше, чем у ее нынешнего собеседника. Эти игры, в которых мужчина — охотник, а женщина — добыча, казались Рэне утомительными и глупыми. Ее возмущала любая попытка навязать ей подобную роль.

Неужели Трент Гемблин решил всерьез заняться такой малопривлекательной особой, как мисс Рэмси? Но зачем ему это? Ответ пришел незамедлительно: Рэна была единственной женщиной в этом доме, не считая Руби. Неисправимый ловелас — это первое, что приходило в голову при встрече с таким мужчиной.

— До вас эту комнату занимала вдова, ровесница Руби. Она была нездорова. Когда ей стало хуже, она переехала поближе к своей семье, в Остин, — коротко объяснила Рэна.

Взяв бокал с водой, девушка дала понять, что до прихода хозяйки разговор можно считать завершенным. В комнате неожиданно стало как-то необычно жарко. Рэна не хотела признаться себе, что виной тому — присутствие Трента Гемблина. Наверное, Руби просто забыла отрегулировать кондиционер, постаралась успокоить она себя.

Забыв о просьбе тетушки быть хорошим мальчиком, Трент подпер подбородок рукой и стал с нескрываемым интересом разглядывать мисс Рэмси.

Сколько ей может быть лет? Она не выглядит старой — разве что чуть за тридцать. Как странно, что с виду здоровая и явно неглупая женщина подвергает себя добровольному заточению в пансионе тети Руби, каким бы уютным и гостеприимным он ни был. Что послужило причиной такого отчаянного поступка?

Может, семейная драма? Или разбитое сердце? Возможно, ее бросили у алтаря? В любом случае ее привела сюда какая-то трагедия.

Мисс Рэмси напоминала ему школьную учительницу из девятнадцатого века: худое лицо, прямые волосы, которые в мерцании свечей приобретали какой-то волшебный, необычный оттенок. Лишенное изящества серое платье полностью скрывало фигуру мисс Рэмси даже от его опытного глаза. Она не пользовалась косметикой, и Трент отметил нетипичный для рыжеволосых женщин оливковый оттенок кожи. Взглянув внимательнее, Трент понял, что ошибся: волосы у нее были не рыжие, а цвета красного дерева, с красивым матовым блеском.

Ее на удивление изящные руки не переставали вертеть серебряную ложку. Коротко остриженные ногти длинных пальцев не были накрашены. Трент считал себя крупным специалистом в области женских духов, но сейчас не ощущал ни одного из пятидесяти знакомых ему запахов. Слегка затемненные очки не позволяли определить цвет глаз собеседницы, и это его раздражало.

Рэна не находила себе места под пристальным взглядом Трента, и ее беспокойство не осталось незамеченным. «Да, этой бедняжке явно необходима встряска, чтобы почувствовать истинный вкус жизни. Так почему бы не помочь ей? — подумал он. — Тем более что других развлечений в этом доме все равно не предвидится».

— Мисс Рэмси, скажите, что вас заставило поселиться здесь?

— Это вас не касается.

— О! Вы со всеми так вежливы?

— Нет, только с теми, кто имеет привычку совать нос не в свое дело.

— Но, мисс Рэмси, я же здесь новенький. А новеньким всегда все прощается.

Надо сказать, что миссис Бейли не зря гордилась своим племянником. Его действительно можно было назвать очаровательным, особенно когда он, словно обиженный ребенок, надувал губы.

— Налить вам хересу? — Рэна приподняла хрустальный графин.

— Вы, наверное, шутите. А пива нет?

— Не думаю, чтобы у Руби водилось пиво.

— Но виски-то у нее точно есть.

— Я не знаю... — Рэна смутилась.

— Да ладно, мисс Рэмси, я же член семьи. Вы можете со мной говорить откровенно, — сказал он, придвигаясь поближе. — Неужели наша старушка все еще потягивает тайком свой «Джек Дэниелс»?

Прежде чем Рэна успела сообразить, что́ на такой провокационный вопрос ответить, в дверях появилась Руби, толкая перед собой тележку с серебряной посудой.

— Вот и ужин! Вы, наверное, умираете от голода. Простите, что задержалась, но я ждала, пока допекутся булочки.

Трент все еще тихо посмеивался над замешательством Рэны.

— Трент, прекрати хихикать, — отругала его Руби. — Ты всегда был самым невоспитанным ребенком в семье и вечно за столом смеялся без причины. Выпрямись, пожалуйста, и займись хоть чем-нибудь полезным — например, разрежь мясо. Мисс Рэмси любит среднепрожаренное. Положи ей кусок побольше и не обращай внимания на ее протесты. Мне удалось немного ее откормить, но она все равно еще очень худая.

Наконец Руби заняла свое место.

— Ну вот, как хорошо! Как уютно в доме, когда все собираются за обеденным столом!

Пытаясь не обращать внимания на взгляды Трента, который, очевидно, оценивал степень ее худобы, Рэна размышляла, удобно ли отказаться впредь есть вместе со всеми.

У Трента оказался неплохой аппетит. Съев по две с половиной порции каждого блюда, он поднял руки вверх, как бы сдаваясь:

— Пожалуйста, тетя Руби, не надо больше. Я не хочу набрать лишний вес.

— Ерунда! У тебя растущий организм. Не могу же я отправить тебя в летний лагерь дистрофиком.

Услышав это, Рэна чуть не подавилась и глотнула воды. Глаза слезились, но она тем не менее не стала снимать очки.

— Дорогая, с тобой все в порядке? — забеспокоилась Руби.

— Да-да, — сказала Рэна, с трудом проглатывая кусок. Придя наконец в себя, она посмотрела в сторону Трента и поинтересовалась: — А не слишком ли он большой для летнего лагеря?

Найдя это замечание крайне забавным, Трент и Руби от души рассмеялись.

— Речь идет о летних сборах, — объяснила

Руби. — Разве я вам не говорила, что Трент — профессиональный футболист?

— Кажется, нет, — смущенно ответила Рэна, расправляя салфетку на коленях.

— Так вот, Трент играет в команде «Хьюстонские мустанги», — гордо заявила Руби, кладя худенькую руку на мускулистое плечо племянника. — Он самый главный игрок в команде.

— Понятно.

— А вы не любите футбол, мисс Рэмси? — поинтересовался Трент. Его слегка раздражало, что на Рэну сообщение тети не произвело ни малейшего впечатления. Между прочим, некоторые спортивные критики называли Трента чуть ли не лучшим защитником в профессиональном футболе, ставя его в один ряд с такими звездами, как Старр и Стобах.

— Я в этой игре почти совсем не разбираюсь, мистер Гемблин. Но сейчас я, конечно, знаю о футболе больше, чем минуту назад.

— То есть?

— Теперь, например, я в курсе, что футболисты ездят в летний лагерь на сборы.

На лице Трента расцвела довольная улыбка. У мисс Рэмси определенно есть чувство юмора, что может значительно облегчить его дальнейшее пребывание в этом доме. Кроме того,

Трент с трудом припоминал, когда в последний раз ужинал в такой приятной, уютной обстановке. Ему не надо было стараться произвести благоприятное впечатление на тетю Руби — она и так от него в восторге. Что касается мисс Рэмси, то никаких дополнительных усилий здесь также не требовалось — Трент был уверен, что любой оказанный ей знак внимания не останется незамеченным. Бедняжка, видимо, была не избалована вниманием мужчин.

Впервые за многие годы расслабиться и быть самим собой в чисто женской компании — такое ему удавалось нечасто.

— Как твое плечо, Трент? — обеспокоенно спросила Руби и поспешила объяснить мисс Рэмси: — Понимаете, он получил травму и отказывается лечиться. У него вывих плеча.

— Не вывих, тетушка. Растяжение.

— Ну хорошо, растяжение так растяжение. Доктор прописал ему покой, велел уехать подальше, оставить привычный круг общения, воздержаться от каких бы то ни было бурных развлечений. Необходимо, чтобы плечо зажило к поездке на сборы. Правильно я говорю, дорогой?

— Правильно, тетушка.

— И сильно болит? — вежливо поинтересовалась Рэна.

Трент пожал плечами:

— Да, иногда. Особенно когда перенапрягаюсь.

Сказав это, Трент нахмурился — вспомнился последний визит к врачу.

— Это чертово плечо никак не заживает, — жаловался ему Трент. — А я должен быть в отличной форме к летним сборам!

Кусая губы от досады, он вновь и вновь возвращался к одной грустной мысли: если в этом сезоне он будет играть так же, как в предыдущем, тренер начнет искать ему замену.

Обманывать самого себя Трент не любил, да и не умел. Ему уже стукнуло тридцать четыре. В этом возрасте из профессионального футбола уходят. Как хотелось отыграть еще один хороший — нет, отличный — сезон! Трент не желал покидать команду с опущенной головой, под перешептывания товарищей: «Он уже выдохся, но просто не может с этим смириться». В глубине души он был уверен, что есть еще порох в пороховницах. Нет, он приведет в порядок плечо и покинет большой спорт в лучах славы. Только так, и никак иначе.

— Больше не приходи ко мне с жалобами, — строго сказал тогда доктор. — Том Тэнди рассказал мне, что плечо ты потянул, играя в теннис. В теннис, черт побери! Ты что, с ума сошел?

Вздрогнув от боли, когда доктор ощупывал плечевые мускулы, Трент попытался оправдаться:

— Мне было необходимо поработать над подачей.

— Знаю я, над какой подачей тебе надо было поработать. Том также довел до моего сведения, как ты обрабатывал клубного тренера, женщину. И отнюдь не на теннисном корте.

— Хорошие же у меня друзья!

— Они тут ни при чем, это твоя вина. Послушай, дружище, — сказал доктор, подвигаясь поближе, — твое плечо никогда не придет в норму, если ты будешь вести подобный образ жизни. Согласен — сейчас межсезонье и ты заслужил право покутить. Но ты должен решить, что́ для тебя важнее — следующий сезон или та нескончаемая холостяцкая вечеринка, на которую стала похожа твоя жизнь. Кем ты хочешь быть: защитником команды — обладательницы Кубка кубков или просто бабником?

В тот же день Трент позвонил тете Руби.

«Это было единственно правильное решение», — думал он теперь, откинувшись на спинку стула и потягивая душистый кофе из фарфоровой чашечки. Ему действительно нужен отдых — нормальный режим и регулярное питание. Именно этого он ожидал от каникул в Галвестоне. С тетей Руби не придется скучать — в этом он был уверен, вспоминая, как еще мальчиком приезжал погостить к ней.

А что касается мисс Рэмси, то она может оказаться даже забавной, если станет проще ко всему относиться. Так почему бы ему не помочь ей в этом?

— Чем вы зарабатываете на жизнь? — вдруг спросил Трент.

— Трент! Что ты себе позволяешь? — возмутилась Руби. — Неужели твоя мать никогда не учила тебя правилам хорошего тона? Или ты слишком долго общался с этими неотесанными мужланами — твоими товарищами по команде?

— Мне просто интересно. — Обезоруживающая улыбка снова осветила его лицо. — Если мы с мисс Рэмси собираемся... жить под одной крышей, то, по-моему, мы должны лучше узнать друг друга.

Взгляд темных глаз скользнул по ее телу,

словно прожигая насквозь ее широкое платье, с единственной целью: узнать, что скрывается под ним. Ощущение было довольно необычным. По какой-то необъяснимой причине ей было приятно узнать, что ее новый сосед не скрывается от неприятных процедур, сопутствующих бракоразводному процессу, хотя это ни в коей мере не означало, что он холостяк.

Она даже испытывала к нему нечто вроде жалости. Достаточно хоть немного разбираться в профессиональном спорте, чтобы понять, чем может закончиться для спортивной карьеры такая травма, как растяжение плечевых мышц.

Однако, когда Рэна поймала на себе очередной взгляд нового постояльца — взгляд хищника, выслеживающего добычу, — чувство сострадания мгновенно улетучилось, и его место заняла неприязнь, а вместе с ней вернулось решение держаться от Трента подальше.

— Я — художник, — сухо ответила она.

— Художник? А на чем вы рисуете — на холсте или на стенах?

— Ни на том, ни на другом. — Рэна сделала глоток кофе, выдерживая театральную паузу. — Я расписываю ткани.

— Ткани? — удивленно переспросил Трент.

— Да, ткани, — ответила Рэна, пристально глядя на него из-за затемненных стекол.

— Она гениальна, — весело вмешалась в разговор Руби. Весь вечер она надеялась, что Тренту удастся заставить мисс Рэмси расслабиться, но этим надеждам не суждено было сбыться: уже с самого начала ужина Рэна замкнулась еще больше обычного.

— Ты бы видел ее работы! — с энтузиазмом продолжала Руби. — Она трудится с утра до ночи, хотя я ей настоятельно рекомендую почаще выезжать, общаться с ровесниками.

— Вы работаете здесь, в доме? — спросил Трент, не отрывая от Рэны глаз.

— Да, я оборудовала одну из комнат моего номера под мастерскую. Там, где хорошее освещение.

— Я очень плохо в этом разбираюсь. — Вытянув ноги под столом, он случайно задел мисс Рэмси. Рэна поспешно отодвинулась. — Расскажите поподробнее: как расписывают ткань? Какую? Что при этом используют?

Рэна улыбнулась — ей был приятен такой интерес.

— Я покупаю одежду и ткани на складе, затем вручную наношу оригинальный узор.

— Разве такая... одежда пользуется спросом? — Трент скептически усмехнулся.

— Поверьте, мистер Гемблин, я не бедствую, — выпалила Рэна, рывком отодвигая стул и поднимаясь. — Спасибо, Руби. Ужин был, как всегда, превосходным. Спокойной ночи.

— Неужели вы покинете нас так рано? — забеспокоилась хозяйка, заметив резкую перемену в настроении мисс Рэмси. — Я надеялась, что мы еще выпьем по чашечке чаю в гостиной.

— Простите, но сегодня я очень устала. До завтра, мистер Гемблин.

Холодно кивнув ему на прощание, Рэна гордо прошествовала через столовую.

— Черт возьми! — проворчал Трент. — Какая муха ее укусила?

— Трент, не будь грубияном! — воскликнула Руби. — Подожди! Что ты?.. Куда ты...

Не обращая внимания на удивленные причитания тетушки, Трент резко встал и вышел с таким же недовольным выражением лица, с каким покинула столовую мисс Рэмси.

Тренту ничего не стоило догнать ее — он поравнялся с Рэной как раз в тот момент, когда она была у лестницы.

— Мисс Рэмси!

Его голос прозвучал в ее ушах подобно пожарной сирене — громко и властно.

Уже занеся ногу на ступеньку, Рэна застыла и обернулась.

Не успела она опомниться, как Трент оказался рядом.

— Вы так поспешно ушли, что не дали мне возможности выразить, насколько приятно мне было ваше общество.

Несмотря на то, что он с трудом сдерживал ярость, в его голосе слышались обволакивающие бархатные нотки. Ни одна женщина не уходила так просто от Трента Гемблина.

— Я очарован вами, мисс Рэмси, — сказал Трент и галантно поцеловал ее руку.

Рэна чувствовала себя так, будто кто-то ударил ее в солнечное сплетение. Выдернув руку, она холодно кивнула и стремительно зашагала вверх по лестнице.

Поглядев на довольную улыбку вернувшегося в столовую Трента, Руби строго сказала:

— Что-то не нравится мне твое выражение лица.

Трент сел и налил себе кофе из серебряного кофейника.

— Мисс Рэмси — недотрога, старая дева, но от этого она не перестает быть женщиной.

— Надеюсь, ты не собираешься выходить за рамки приличий, а будешь относиться к моей гостье в высшей степени уважительно. Она хорошая женщина, но уединение ценит превыше всего. За все время, что она провела здесь, мне ровным счетом ничего не удалось узнать о ее личной жизни. Наверное, с ней приключилось какое-то несчастье. Пожалуйста, не обижай ее.

— Да мне бы такое и в голову не пришло! — сказал Трент с улыбкой, которую едва ли можно было назвать искренней.

Однако Руби не сомневалась в правдивости его слов, поскольку души не чаяла в своем племяннике.

— Ну вот и договорились. А теперь будь хорошим мальчиком — пойдем со мной на кухню. Пока я буду мыть посуду, ты расскажешь мне, чем занимался последнее время.

— Даже о самом неприличном?

Руби хихикнула и потрепала его по щеке.

— Об этом — в первую очередь.

Следуя за тетушкой на кухню, Трент все еще думал о мисс Рэмси. Как, кстати, ее зовут? От него не ускользнуло то, что ее одежда, которую постеснялась бы надеть даже бродяжка, скрывала потрясающе грациозную фигуру. Мисс Рэмси обладала гордой осанкой. Ее руки нуждались в маникюре, но были изящными и хрупкими. Непонятно почему, но ему доставило огромное удовольствие коснуться ее губами, несмотря на огрубевшую кожу и легкий запах краски и растворителя.

А тем временем наверху, в апартаментах, занимающих все восточное крыло, Рэна готовилась ко сну. Уже полгода она почти не подходила к зеркалу, но сегодня внимательно разглядывала свое отражение в высоком старинном трюмо.

Покидая Нью-Йорк, она при росте 173 сантиметра весила чуть больше 50 килограммов. Благодаря кулинарным изыскам хозяйки и буквально принудительному кормлению за последнее время она поправилась на четыре с лишним килограмма. Конечно, на первый взгляд она все равно казалась худой, но плавный изгиб бедер, чуть располневшая грудь делали Рэну более женственной.

Изменения коснулись и ее лица. Четко очерченные скулы, придававшие неповторимое очарование лицу Рэны, фотографии которого не сходили с обложек ведущих журналов мод, теперь были обрисованы мягче.

Рэна сняла очки — прятаться сейчас было не от кого. Из зеркала на нее смотрела пара зеленых, как изумруды, глаз. Именно они когда-то заставили тысячи женщин скупить всю новую коллекцию теней для век под названием «Лесные самоцветы». Искусный макияж делал эти глаза неотразимыми. Да и сейчас, без косметики, их правильная миндалевидная форма привлекала взгляд. Пожалуй, если она все еще хочет оставаться неузнанной, без очков не обойтись.

Заставив себя улыбнуться, Рэна заметила, что передние зубы чуть заметно искривились. Узнай об этом Сюзан Рэмси, мать Рэны, ее бы точно хватил удар.

Сколько денег она извела, чтобы сделать дочери голливудскую улыбку! Если бы Рэна надевала специальную пластинку каждый вечер, как ей советовали врачи, ничего подобного не случилось бы. А теперь четыре передних зуба снова лезли друг на друга.

Рэна щеткой отвела от лица тяжелые пряди волос. Тряхнув головой и, как ее учили, откинув назад пышную гриву, снова взглянула в зеркало. Вот он, ее прежний неповторимый образ, так хорошо известный по сотням фотографий в журналах и на рекламных щитах. Темно-каштановые волосы по-прежнему обрамляли редкой красоты необычное лицо. Но то, что она увидела в зеркале, было лишь жалким подобием прежней Рэны. Однако и этого оказалось достаточно, чтобы оживить грустные воспоминания.

Желтые от никотина пальцы приподняли подбородок, поворачивая ее голову то так, то этак, чтобы осмотреть лицо в разных ракурсах.

— Я бы сказал, что у нее слишком... слишком экзотическая внешность, миссис Рэмси. Она, безусловно, красива, но... не похожа на типичную американку. Да, дело именно в этом. У нее не американский тип внешности.

— По-моему, в модельном бизнесе типичных американок и так много, — с явным негодованием сказала миссис Рэмси. — Да, моя девочка не похожа на других. В этом и состоит ее главное достоинство.

Ни представитель модельного агентства, ни зевающий от скуки фотограф, ни даже мать Рэны — никто не заметил, что у Рэны грустный вид. Объяснялось это просто: ей очень хотелось есть. Мысли о чизбургере так и лезли в голову, не давая покоя пустому желудку. Она пыталась отогнать от себя гастрономические картинки, зная, что, кроме салатных листьев, заправленных низкокалорийным соусом, ей вряд ли перепадет что-то еще.

— Простите, — сказал агент, сгребая в кучу глянцевые фотографии Рэны и вручая их Сюзан Рэмси. — Она, безусловно, хороша собой, но нам не подходит. Вы не пробовали обратиться к Эйлин Форд? Ей удалось раскрутить Эли Макгроу, хотя та тоже темноволосая и темноглазая.

Засунув фотографии обратно в сумку, Сюзан схватила дочь за руку и устремилась к выходу. В лифте она достала листок бумаги с длинным списком и вычеркнула из него указавшего им на дверь агента.

— Не расстраивайся, Рэна. Есть в Нью-Йорке люди и поумнее, чем этот придурок. Пожалуйста, не сутулься. И в следующий раз постарайся почаще улыбаться.

— Я не могу улыбаться, когда устала и хочу есть. Если помнишь, я съела утром только тост и половинку грейпфрута, а мы весь день мотаемся по городу. У меня болят ноги. Мы можем остановиться где-нибудь, присесть и нормально пообедать?

— Еще пара собеседований, и все, — рассеянно ответила Сюзан, просматривая список модельных агентств.

— Но я устала!

Лифт доехал до первого этажа, и Сюзан раздраженно вылетела из открывшихся дверей.

— Ты, Рэна, просто эгоистка и вечно капризничаешь. Я помогла тебе развестись с мужем-неудачником. Я продала дом, чтобы собрать необходимую сумму на переезд в Нью-Йорк. Я жертвую собой ради твоей карьеры. А в благодарность за все это слышу только твое постоянное нытье.

Рэна промолчала. Она была совершенно равнодушна к модельному бизнесу — сделать из дочери топ-модель страстно желала Сюзан Рэмси. Решение о продаже дома также приняла ее мать, а брак Рэны распался опять же из-за ее постоянного вмешательства.

— Следующее собеседование через пятнадцать минут. Если ты сделаешь мне одолжение и поторопишься, мы будем на месте через пять минут. У тебя как раз хватит времени поправить макияж. И пожалуйста, улыбайся! Никогда не знаешь, что на них может подействовать. Кто-нибудь обязательно оценит тебя по достоинству.

Этим «кем-нибудь» оказался Мори Флетчер — толстый, лысеющий, неопрятный и дурно воспитанный агент, чей офис находился далеко не в самом престижном районе города.

Его имя стояло в самом конце списка Сюзан. Однако именно Мори сумел как следует разглядеть за спиной решительной миссис Рэмси ее девятнадцатилетнюю дочь. В желудке Мори что-то перевернулось. Вряд ли причиной тому был сандвич из забегаловки за углом. Если такого умудренного опытом профессионала, как Мори Флетчер, тронули эти глаза и это лицо, то прочая публика уж точно придет от Рэны в восторг.

— Садитесь, пожалуйста, мисс Рэмси, — сказал он, отодвигая для Рэны стул.

Слегка ошеломленная, Рэна уселась и незамедлительно скинула туфли. Увидев это, Мори улыбнулся, и Рэна ответила ему улыбкой.

Через два дня контракт был готов, тщательно изучен Сюзан и наконец подписан. Но это было только начало.

Следующие несколько месяцев оказались сущим адом. Воспоминания о них заставили Рэну сжаться и отвернуться от зеркала, чтобы отражение не напоминало о прошлом.

Натянув старенькую майку, исполняющую обязанности ночной рубашки, Рэна подошла к окну и прислушалась. До нее донесся уже привычный ее уху рокот волн. Мексиканский залив находился всего в нескольких кварталах от дома миссис Бейли.

В густых зарослях настойчиво выводил свою партию оркестр цикад и сверчков. Рэна не переставала удивляться этим звукам, таким непохожим на гул многомиллионного города, который врывался в ее окно на тридцать втором этаже в Ист-Сайде. Причудливо обставленная уютная спальня дома Руби нравилась Рэне куда больше, чем шокирующий модерн интерьера ее собственной квартиры в Нью-Йорке. В доме Руби Рэна наконец обрела покой, который теперь ценила превыше всего.

В этот вечер она была настолько взволнована, что долго не могла уснуть, мысленно вновь и вновь возвращаясь к новому постояльцу, с которым ей предстояло жить по соседству. Он оказался до смешного типичным, да к тому же не слишком искушенным ловеласом. Но, как ни странно, Рэне было не до смеха.

Лишь одно обстоятельство успокаивало — в его руках мог оказаться скорее журнал «Спортс иллюстрейтед», чем «Вог». К тому же нынешняя мисс Рэмси вряд ли походила на модель, снимающуюся в рекламных роликах косметических фирм. И едва ли кто-то мог предположить, что неуловимая и прекрасная Рэна объявится в скромном пансионе города Галвестона.

Трент, надо сказать, с немалым чувством поцеловал ей руку. Конечно, им руководило желание отомстить. Сможет ли она жить под одной крышей с таким человеком?

«Буду его игнорировать», — попыталась солгать себе Рэна. На самом же деле она с трепетом ожидала, когда на лестнице послышатся его шаги, и гадала, чем же он сейчас занимается. Устав от бесплодных волнений, Рэна взбила подушку и попыталась не думать о Тренте Гемблине. Задача оказалась не из легких: засыпая, она то и дело вспоминала улыбку, так удивительно преображавшую его лицо, а ее рука, казалось, все еще чувствовала тепло его губ.

2

ледующее утро нача-
лось с того, что, выхо-
дя из комнаты, Рэна
чуть не наступила на
Трента, отжимавшегося от пола прямо в коридоре.

— Ой! — вскрикнула она, хватаясь за сердце.
Трент вскочил:

— Доброе утро.

Первым желанием Рэны было нырнуть обратно в свою комнату и захлопнуть дверь, из-
бежав таким образом соблазна полюбоваться
полуобнаженным мужским телом.

На нем были только короткие нейлоновые
шорты, да и те сползли ниже талии, открывая
взгляду пупок. Пропитанные потом шорты так
плотно облегали тело, что форма и размер всего того, что они скрывали, перестали быть для
Рэны тайной. Что же, следовало признать: Трент
был хорош во всех отношениях.

Несмотря на все попытки смотреть исключительно на лицо Трента, взгляд Рэны постепенно сползал вниз.

— Доброе утро, — наконец выдохнула Рэна.

Дверь его комнаты была открыта. На пороге валялись кроссовки. Внутри царил беспорядок: из все еще не распакованных чемоданов выглядывала одежда; на ковре громоздились полуоткрытые коробки.

— Вы делаете зарядку? — не придумав ничего более умного, спросила Рэна.

— Да. Я только что вернулся с пробежки по пляжу. Это было великолепно.

Трент был весь мокрый. Капельки пота стекали по груди, собирая черные как смоль волосы во влажные прядки. Шелковая дорожка волос делила пресс пополам. Трент поднял руку, чтобы отереть лоб. Наблюдая за ним, Рэна испытывала те же чувства, как если бы занималась с ним любовью. Устыдившись, она поспешно опустила глаза.

— Ваше... ваше плечо... Я хотела спросить, не вредны ли эти упражнения для вашего плеча?

— Нет, с плечом ничего не случится. Здесь задействованы другие группы мышц.

— А, тогда понятно.

— Понятно?

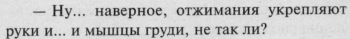

— Ну... наверное, отжимания укрепляют руки и... и мышцы груди, не так ли?

— Да, — подтвердил Трент. — А вы делаете зарядку?

— Делаю, но не для... не для мышц груди. — Видя, что Трента забавляет ее скованность, Рэна тут же добавила: — А еще я бегаю по утрам.

— А почему бы вам не присоединиться ко мне завтра?

— Вряд ли это будет удобно, — сказала Рэна, осторожно продвигаясь в сторону лестницы.

— Кстати, я приношу извинения за то, что занял коридор. Дело в том, что я еще не успел распаковать вещи и в комнате не хватает места.

— Простите, но я как раз шла на кухню... — И Рэна попыталась быстренько исчезнуть.

— Мисс Рэмси! — окликнул ее Трент.

Из вежливости Рэна обернулась и тут же пожалела об этом. Они очутились так близко друг к другу, что Рэна вдохнула исходящий от его тела на редкость приятный, терпкий, солоноватый запах моря.

— А вы знаете, как лучше всего отжиматься?

— Нет... не знаю.

— Чтобы достичь максимальных результатов, надо попросить кого-нибудь лечь вам на спину.

— Лечь на спину? — переспросила ошеломленная Рэна.

Трент прислонился к стене и скрестил руки на груди. Лучше бы он этого не делал — небрежная поза только подчеркнула впечатляющий рельеф его мускулатуры.

— Да. Так будет тяжелее отрываться от земли.

— Это для того, чтобы нагрузка была больше? — высказала предположение Рэна.

— Именно. Я тут подумал... Вряд ли вы согласитесь... — Не закончив фразу, Трент наклонил голову, ожидая, пока суть предложения дойдет до Рэны. Тысячи озорных огоньков заискрились в его карих глазах. — Конечно, нет, — резко закончил он. — И как мне такое могло прийти в голову?..

Щеки Рэны загорелись предательским румянцем. Но смущение сменилось яростью, когда на чувственных губах Трента заиграла насмешливая улыбка.

— Я, кажется, уже говорила, что хотела спуститься на кухню. — Рэна резко повернулась и поспешно покинула поле боя.

«Самонадеянный идиот!» — пробормотала про себя шагавшая по ступенькам Рэна, когда до нее донесся сдавленный смешок. Да и какая ей разница — пусть бегает голышом, как пещерный человек, если на большее ума не хватает! Эта мысль ее даже развеселила, однако, когда Рэна доставала из кухонного комода стакан и наливала туда содовую, руки все еще дрожали.

Рэна сидела за маленьким кухонным столом на уютной кухоньке миссис Бейли. Идти обратно, рискуя вновь встретиться с племянничком Руби, не хотелось. Взяв блокнот и карандаш, предусмотрительно оставленные у телефона, Рэна лениво набросала пару узоров. Райские птицы на размытом бледно-лиловом фоне? Или тропическое вечнозеленое растение? А как насчет рельефной абстракции в оранжевом, черном и бирюзовом тонах?

— Создаете новые шедевры?

От неожиданности Рэна выронила карандаш. Пытаясь его поднять, она чуть не опрокинула стакан с содовой.

— Мне бы хотелось, чтобы вы перестали незаметно подкрадываться ко мне.

— Простите, но я думал, вы слышали, как я вошел. Наверное, вы были слишком заняты работой.

Рэна с укором посмотрела на босые ноги молодого человека:

— Как я могла слышать, если вы босиком?

— Дело в том, что во время пробежки я натер себе палец. Очень болит.

Если Трент рассчитывал на сочувствие, его ждало разочарование.

Рэна не могла понять, что заставляет его ходить по дому в столь непристойном виде, но спросить она, конечно, постеснялась. Кроме того, Рэне хотелось скрыть впечатление, которое произвел на нее вид Трента в неприлично узких джинсовых шортах. Майка с эмблемой «Хьюстонских мустангов» едва прикрывала грудь и словно специально выставляла напоказ его великолепный торс. Рэна смотрела на симметричные, четкие выпуклости мышц. Как она ни боролась с собой, взгляд неизбежно сползал к пупку. Интересно, бывают ли пупки красивые и некрасивые, заурядные и соблазнительные? Рэна решила подумать об этом на досуге.

— А где тетушка?

Очнувшись от задумчивости, в которую ее ввергло созерцание полуобнаженного Трента, Рэна указала на записку, прикрепленную к холодильнику магнитом в виде маленького кочанчика капусты.

— Она ненадолго вышла.

— Гм... — Трент казался озадаченным. — Тетя Руби сказала, что припасла для меня сок. Не знаете, где он?

— Посмотрите в холодильнике.

Трент открыл дверцу и долго изучал его содержимое.

— Молоко, бутылка шабли, газировка, — констатировал он, — а еще склянка с этикеткой «Не выбрасывать».

— В ней свиной жир.

— Да, вряд ли мне удастся утолить этим жажду.

Поняв, что Трент все равно не даст ей посидеть спокойно, Рэна грустно вздохнула, надеясь, что ее полный страдания вздох будет услышан и правильно истолкован собеседником.

— Руби держит часть запасов в другом месте.

Рэна направилась к двери, ведущей в заднюю часть дома.

— Если вы на веранду, то хочу вам сказать, что в свое время я там часто ночевал.

— Правда?

— В детстве, когда мы с мамой летом приезжали погостить к тете Руби, я провел там не одну ночь.

Рэна сделала вид, что ей это безразлично,

но перед ее глазами предстал образ крепкого темноволосого мальчугана с ободранными коленками.

— А ваш отец?

— Он погиб в авиакатастрофе. Я был совсем маленьким и почти его не помню. Мама так больше и не вышла замуж. Я похоронил ее два года назад.

Казалось, одиночество, от которого они оба страдали, могло их сблизить. Однако Рэна не произнесла ни слова соболезнования, решив, что к этому человеку, от которого теперь пахло не морем, а чистотой, душистым мылом и цитрусовым одеколоном, опасно испытывать даже сочувствие.

Рэна зашла в кладовую, где Руби хранила все: от туалетной бумаги и жидкости для мытья посуды до собственноручно сваренного джема.

Одну из полок занимали банки с соком.

— Яблочный, грейпфрутовый или апельсиновый?

— Апельсиновый, пожалуйста.

Он стоял в дверном проеме кухни. Рэна исподтишка бросила взгляд на его длинные стройные ноги, потом на загорелые плечи и крепкие, мускулистые руки. На левом локте она заметила хирургический шрам. Два пальца правой руки были заметно искривлены.

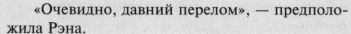

«Очевидно, давний перелом», — предположила Рэна.

— Простите, — смущенно пробормотала она, подходя к двери с банкой апельсинового сока. Трент уступил ей дорогу, и Рэна зашла на кухню.

— Запоминайте, где что лежит. В будущем вам придется обходиться без моей помощи.

— Я полон внимания, мисс Рэмси.

Не придавая значения легкой иронии, звучащей в голосе Трента, Рэна открыла банку взятым из кухонного ящика консервным ножом.

— Вот, пожалуйста, — сказала Рэна, подавая Тренту стакан, наполненный апельсиновым соком.

— Спасибо.

В знак благодарности Трент подмигнул ей, затем поднес стакан к губам, запрокинул голову и осушил его всего в три глотка.

— Еще, пожалуйста, — попросил Трент, протягивая Рэне пустую посуду.

Крайне удивленная, Рэна машинально вновь наполнила стакан. Его Трент также выпил залпом.

— Третью порцию можно и посмаковать, — причмокивая губами от удовольствия, сказал Трент.

— Вы имеете в виду, что хотите еще? — не веря своим ушам, переспросила Рэна.

— Между прочим, я такой ненасытный практически во всем, мисс Рэмси.

— Эй, Руби!

Рэна подпрыгнула от неожиданности, не узнав поначалу звонкого голоса почтальона, который ежедневно, принося почту, заходил к Руби попить чайку. Была бы Руби лет на двадцать помоложе, можно было бы заподозрить, что их связывают романтические отношения. Хотя, учитывая незаурядность Руби, подобное развитие событий не исключалось.

Поставив банку сока на кухонный стол, Рэна объявила Тренту, что теперь он будет хозяйничать сам, и поспешила на крыльцо.

— Проходите, мистер Фелтон. К сожалению, Руби нет дома. Как много сегодня почты!

— В основном счета, да еще пара журналов. Кажется, все. Передавайте Руби привет.

— Обязательно передам.

Вернувшись на кухню, Рэна положила почту на стол и начала разбирать ее, чтобы посмотреть, нет ли ей писем. Трент тихо стоял у нее за спиной.

Он не мог не отметить, что мисс Рэмси разительно отличалась от других знакомых ему женщин. В этот день она оделась еще более небрежно, чем вчера. Мешковатые брюки значительно большего, чем следовало, размера держались на талии с помощью широкого кожаного ремня. Такие удобные, но уродливые штаны куда больше подходили солдату, чем женщине.

Наряд мисс Рэмси упорно скрывал ее фигуру. Как Трент ни пытался, он не мог определить, красивые ли у нее ноги. А такую забрызганную краской мужскую рубашку отказалась бы надеть даже нищенка. Закатанные рукава приоткрывали изящные руки, но длинный бесформенный жилет, который мисс Рэмси носила поверх рубашки, не позволял даже заподозрить, что под ним таится. Вряд ли у нее была большая грудь, но Трент просто умирал от желания узнать ее точный размер.

Да, мисс Рэмси явно не утруждала себя заботой о своей внешности, в том числе и о прическе. Тяжелые, прямые, тщательно расчесанные, но неухоженные пряди волос закрывали ей спину. От них исходило цветочное благоухание — запах шампуня или пены для ванн. От этого аромата у Трента кружилась голова.

Мысль о мисс Рэмси, принимающей ванну, заставила его улыбнуться. Но все, даже самые невзрачные женщины любят понежиться в теплой воде, не так ли? Конечно, и мисс

Рэмси позволяла себе расслабляться в мыльной пене. В этом не могло быть сомнений.

Интересно, а что она надевает потом? Может быть, прозрачное, тонкое, как паутина, кружевное нижнее белье? Как ни старался Трент, но представить мисс Рэмси одетой во что-нибудь легкомысленное и поражающее воображение ему не удалось.

Скорее она предпочитает нижнее белье из хлопка, которое полностью закрывает все интересующие Трента места.

Трент опомнился. Какого черта он размышляет о нижнем белье мисс Рэмси? Только сейчас он понял, как нужна ему женщина.

Его оголодавший организм посылал мозгу тревожные сигналы. Может, позвонить Тому и попросить его срочно направить сюда парочку поклонниц?

Нет-нет, так не пойдет. Ведь именно поэтому он уехал из Хьюстона. Он должен отдохнуть от прелестей веселой жизни. Там он слишком часто посещал вечеринки. И с женщинами в течение нескольких недель он может позволить себе общаться только посредством воображения. Мисс Рэмси — единственная, не считая его тетушки, женщина в этом доме, так что выбор у него невелик. Почему бы время от времени не позволить себе пофантазировать? Ведь это будут совсем безобидные фантазии.

Трент верил, что даже мисс Рэмси, к которой подступиться так же сложно, как к забору с колючей проволокой, не лишена женственности. Как она смутилась, когда утром застала его в коридоре!

Конечно, Трент мог бы делать зарядку и у себя в комнате, но он нарочно расположился в коридоре, тайно надеясь, что мисс Рэмси непременно наткнется на него. Скорее всего этим утром бедняжка впервые увидела полуобнаженного мужчину, почувствовала запах мужского пота. Конечно, она была в смятении. Вспомнив ее порозовевшее от смущения лицо, Трент еле сдержался, чтобы не рассмеяться. В одном он был твердо уверен: то, что она увидела, пришлось ей по душе. Трент мог побиться об заклад, поставив на карту свою репутацию обольстителя, что это действительно так.

— Есть что-нибудь для меня?

Она почувствовала на шее его теплое дыхание. Неужели все это время он стоял так близко?

— Нет, — ответила Рэна, поспешно заканчивая разбирать корреспонденцию. Один из журналов, предназначенных для Руби, упал и раскрылся.

Рэна замерла от ужаса.

На развороте она узнала себя. Ее гибкое, безукоризненное тело на белой простыне, волосы цвета красного дерева огромным веером рассыпались вокруг головы. Парикмахер и фотограф потратили целый час на то, чтобы добиться подобного эффекта. Четко очерченные скулы, томный взгляд, соблазнительная полуулыбка...

На фотографии господствовал фирменный белый цвет Рэны. Это было непременным условием Мори. Договариваясь об очередном контракте для Рэны, он всегда подчеркивал: «Вы знаете, Рэна одевается только в белое». Бешеный успех Рэны позволял ей выставлять любые условия и требовать огромные гонорары — рекламодатели шли на все, чтобы заполучить ее.

Ей вспомнилось, как за пару дней до съемок она ударилась о дверцу такси, и на бедре появилась ссадина. В результате кропотливой работы визажиста ссадина исчезла, а кожа выглядела так, как будто ее натерли оливковым маслом и отполировали. Даже сейчас, разглядывая фотографию, Рэна чувствовала на ощупь ее нежность и бархатистость.

Трусики-бикини, в которых она снималась,

едва держались на соблазнительных бедрах. Мужская рука приподнимала край топа. Мужчина, лежавший с ней рядом, но не попавший в кадр, был уродом, но обладал руками пианиста. Его безупречно красивые руки пользовались успехом, их снимали в разного рода рекламных роликах — от детских подгузников до популярных сортов пива. Его руки то гладили попку младенца, то сжимали запотевший стеклянный бокал, то ласкали кожу лучших моделей.

В студии, где проходили съемки, было прохладно. От холода соски Рэны напряглись и стали откровенно проглядывать сквозь хлопчатобумажный топ. Это заставило представителя рекламного агентства запаниковать: ведь его клиент требовал не откровенной эротики, а только легкого намека на нее. Фотографа же не интересовало ничего, кроме освещения и ракурса. Его ассистент шутил, что мужчина, лежащий рядом с Рэной, тайком ото всех ласкает ей грудь. Сюзан Рэмси шокировал такой, как она выразилась, «распутный» юмор. Поскольку ассистент фотографа одновременно крутил со своим шефом любовь, обиделся и фотограф, пригрозив миссис Рэмси удалить ее со съемок, если она не заткнется.

Пока происходила эта оживленная дискуссия, Рэна продолжала лежать, не меняя позы. Ей было скучно, она устала, у нее болела спина, в животе урчало от голода.

— Неплохо.

Бархатный мужской голос показался Рэне раскатом грома, вырвавшим ее из страны воспоминаний. Девушка резко захлопнула журнал.

— В чем дело? Неужели вам не понравилось? — спросил Трент, забавляясь реакцией Рэны на столь откровенный снимок.

— Да... нет... Я... я должна идти работать.

Рэна вскочила и, оттолкнув его, быстро покинула кухню. Бегом поднявшись по лестнице и ворвавшись в свою комнату, Рэна с силой захлопнула дверь и в изнеможении прислонилась к ней. Пытаясь отдышаться, она прислушивалась, не бежит ли за ней, размахивая журналом, без сомнения узнавший ее Трент.

Придя в себя, Рэна поняла, что ей нечего бояться, поскольку ни Тренту, ни Руби никогда не придет в голову, что девушка на фотографии — их знакомая мисс Рэмси. Между эффектной фотомоделью и теперешней Рэной было так же мало общего, как между красивыми руками мужчины, участвовавшего в тех съемках, и его уродливым лицом.

За этот день Рэна испытала два потрясения. Первое — когда рано утром повстречала полуголого Трента Гемблина, второе — когда увидела свою фотографию на развороте журнала. Полгода она прожила отшельницей, не беспокоясь, что ее узнают.

Ее не волновало даже то, что Мори и мать знают ее новый адрес. Ведь она предупредила, что, если ее будут уговаривать вернуться в Нью-Йорк, она снова исчезнет и не объявится никогда.

Теперь, когда по соседству поселился Трент, ее инкогнито оказалось под угрозой. С Руби было проще — из эстетических соображений она не носила очков, а без них плохо видела. Хозяйка прочитывала журналы мод от корки до корки, но ни за что не узнала бы блистательную Рэну в своей невзрачной квартиросъемщице.

А что, если ее племянник более проницателен?

Зазвонил телефон, отрывая Рэну от раздумий. Она подняла трубку и услышала знакомый голос.

— Здравствуй, Барри! — радостно воскликнула она.

— Надеюсь, ты трудишься не покладая рук? На твои работы колоссальный спрос.

— Правда? — обрадовалась Рэна.

Их сотрудничество оказалось взаимовыгодным. Она повстречала Барри Голдена в Нью-Йорке, он работал тогда стилистом в крупном магазине одежды. Он обожал индустрию моды, однако ненавидел городскую жизнь. После смерти дедушки Барри досталось небольшое наследство, которое позволило ему вернуться домой, в Хьюстон, и открыть небольшой, но достаточно дорогой магазинчик.

Уезжая из Нью-Йорка, Барри просил Рэну не терять с ним связи и обращаться к нему при первой же необходимости. Полгода назад Рэна воспользовалась этим предложением. Так благодаря Барри она и переехала в окрестности Хьюстона.

Барри пришел в восторг от идеи расписывать одежду вручную и сразу согласился реализовать в своем магазине пару ее изделий. Вещи, расписанные Рэной, раскупили моментально. Те, кому не досталось, требовали завезти новую партию.

— Таким бешеным спросом, как твои работы, у меня не пользовался ни один товар, — говорил ей Барри.

Рэна улыбнулась, представив Барри с неизменной тонкой сигаретой в зубах. Барри был человеком вспыльчивым, чересчур прямолинейным и нередко грубым. Однако его манеры напрямую зависели от того, насколько тепло он относился к собеседнику. К тому же, по какой-то необъяснимой причине, чем возмутительнее он себя вел, тем больше нравился клиентам.

Рэна смогла под маской грубияна и задиры увидеть истинного Барри, чуткого и доброго, для которого вызывающее поведение было лишь способом защитить себя от окружающего мира. Она его понимала — ведь полгода назад ей тоже приходилось скрывать свое подлинное лицо под маской, которая устраивала окружающих.

— Довольна ли миссис Таплуайт своим халатом?

— Не то слово, дорогая! Увидев его, она чуть не выпрыгнула из своего жуткого, замусоленного платья.

— Так она его купила?

— Конечно. У некоторых моих покупателей напрочь отсутствует вкус, и я не пытаюсь их перевоспитывать.

— Именно по этой причине ты согласился продавать мои работы?

— Ты — исключение из всех правил, дорогая. Я знал немало моделей, но ты — первая и единственная среди них, кто не одержим своим отражением в зеркале. Когда я организовывал показы мод, работать с тобой было настоящим удовольствием. Ты никогда не капризничала.

— За меня это делала мать.

— Даже не напоминай мне о ней, а то я заведусь на весь день. Главное, что я обожаю тебя и то, что ты делаешь. Меня даже порой мучают угрызения совести, поскольку я извлекаю из твоих произведений прибыль.

— Так я и поверила, — поддела его Рэна.

— Ах, дорогая, ты видишь меня насквозь, — наигранно вздохнул Барри. — Ну, хватит об этом. Когда ты появишься в Хьюстоне? Готова ли юбка для миссис Резерфорд? Она меня достала — звонит по три раза в день.

— К концу недели я ее закончу.

— Отлично. У меня для тебя еще четыре заказа.

— Четыре?!

— Да, четыре. Кроме того, я поднял цены на твои работы.

— Барри! Опять? Ты же знаешь, я занимаюсь этим не ради денег. Мне есть на что жить.

— Не смеши меня. В наше время ничто не делается бесплатно. А этих богатых курочек цена волнует меньше всего. Чем дороже их покупки обходятся мужьям, тем больше они эти вещи ценят. Будь хорошей девочкой и не ругай меня. Кстати, ты все еще придерживаешься своего дурацкого правила не встречаться с клиентами лично?

— Да.

— И все по той же причине?

— Да. Не хочу рисковать. Ведь не исключено, что кто-нибудь меня узнает.

— Ну и что? Лично мне было бы только приятно. Ты знаешь, как я отношусь к этому идиотскому маскараду.

— И тем не менее, как я уже тебе говорила, сейчас я счастлива как никогда, — осторожно напомнила Рэна.

— Ладно, не буду больше приставать. Слушай, у меня появилась потрясающая идея, которую я хотел бы обсудить с тобой при встрече.

— Что ты задумал?

— Скажу, когда приедешь. А сейчас иди и заканчивай юбку для миссис Резерфорд.

— Хорошо. Подожди секундочку, ко мне стучат. Наверное, это Руби.

Рэна положила трубку рядом с телефоном и поспешила к двери. Она ошиблась — на пороге стоял Трент.

— У вас есть пластырь?

— Простите, я разговариваю по телефону, — резко ответила Рэна, отметив при этом в очередной раз, что Трент безумно хорош собой. Неужели она неравнодушна к его чарам? Это открытие ее очень обеспокоило.

— Ничего, я подожду. — С этими словами Трент шагнул через порог.

Рэне ничего не оставалось, как покориться, — не выдворять же его силой. Яростно сверкнув глазами, она взяла трубку:

— Извини, Барри. Пора за работу.

— Мне тоже. До скорой встречи, дорогая.

— Увидимся в пятницу. Пока.

— А кто такой Барри? — как ни в чем не бывало поинтересовался Трент, когда Рэна положила трубку.

— А вот это вас совершенно не касается. Так что вы хотели?

— Это ваш дружок? — продолжал допытываться Трент.

Прежде чем ответить, Рэна пронзила его испепеляющим, как ей хотелось думать, взглядом и про себя сосчитала до десяти — так сильно он ее взбесил.

— Да, Барри — мужчина. Да, он — мой друг. Но не в том смысле, какой вы вкладываете в это слово. Помнится, вам был нужен пластырь?

— Но вы ведь с ним встречаетесь? Кажется, в ближайшую пятницу? По-моему, у вас с ним свидание.

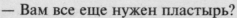

— Вам все еще нужен пластырь?

Рэна яростно тряхнула головой, откидывая назад копну волос. Она уперлась руками в бока и приняла воинственную позу. Трент пришел в восторг — наконец-то бесформенная рубашка позволила увидеть контур ее груди. И надо сказать, груди очень красивой.

— Да, если можно, — сказал он, улыбаясь.

Рэна отправилась в ванную и, порывшись в аптечке, нашла коробку с пластырем. Она не сразу смогла открыть крышку, что ее еще больше разозлило. Наконец ей это удалось. Достав пластырь, она резко повернулась и... столкнулась с Трентом, стоящим прямо за ее спиной. От неожиданности она потеряла равновесие и оказалась прямо в его объятиях.

Это длилось какие-то доли секунды, но Рэне показалось, что прошла вечность. Бессознательно она уперлась ладонями в его мощную грудь. Пытаясь удержать столь неожиданно свалившийся на него подарок, Трент крепче прижал Рэну к себе. На мгновение они прижались друг к другу. Эффект от этого был поразительный: казалось, произошло что-то наподобие короткого замыкания — их обоих обдало жаром, и посыпались невидимые искры.

В конце концов Рэне удалось высвободиться. Ошеломленный, Трент сделал шаг назад. В этот момент он испытывал такие же чувства, как от столкновения со свирепым Джо Грином: во время последней игры, пытаясь завладеть мячом, тот со всего маху налетел на Трента. В комнате воцарилась тишина, которую нарушало лишь частое дыхание мужчины и женщины.

— Вот... возьмите.

Трент вынул из дрожащей руки Рэны пластырь.

— Спасибо.

Да, с грудью у нее определенно все в порядке. Как, впрочем, и со всем остальным.

Он повернулся к дверям, и Рэна вздохнула с облегчением. Однако Трент, похоже, не собирался уходить. Вместо этого он уселся на диван, положил ногу на ногу и попытался вскрыть целлофановую оболочку пластыря. После нескольких бесплодных попыток он сдался:

— Вы не могли бы помочь?

— Конечно.

Готовая на все, лишь бы поскорее выпроводить этого наглеца, Рэна взяла пластырь. Трент вторгся в жилище, заменившее Рэне хижину отшельника, в убежище, ставшее единственным местом на свете, где она чувствовала себя в безопасности. И чем скорее незваный гость покинет его, тем лучше.

— Думаю, у Руби нашелся бы для вас пластырь, — сказала она в надежде, что Трент не настолько глуп, чтобы не понять намека.

— Скорее всего. Но тетушки все еще нет дома. Простите, если побеспокоил вас.

Уж в этом-то Трент был прав — он действительно ее побеспокоил. С тех пор как распался ее брак — а это произошло семь лет назад, — ни одного мужчину Рэна не подпускала к себе так близко. Она поставила крест на личной жизни и не решалась рисковать, вступая в какие бы то ни было отношения с представителями противоположного пола. Это правило не распространялось на друзей — Барри и Мори, а также на деловых партнеров, пока те вели себя пристойно.

Рэна поклялась себе больше никогда не влюбляться и забыть о страсти. Однако сегодня она это обещание нарушила: только что пережитое возбуждение было настолько сильным, что Рэна еще долго не могла унять дрожи в руках. Случившееся казалось ей катастрофой. Она отчаянно не хотела переживать все заново: вспышки эмоций, боль, разочарование...

— Мне нужно работать. Прошло полдня, а я практически ничего не сделала.

«И вы тому причиной», — добавила она про себя.

Нахмурившись, Трент взял пластырь и осторожно заклеил мозоль на мизинце.

— Надеюсь, теперь заживет. — Он поднялся, чтобы уйти, и вдруг добавил: — Желаю плодотворно поработать... Эна.

Что?! Как он ее назвал? Он почти угадал ее настоящее имя.

— Я обратил на это внимание, как только вошел. Позвольте выразить вам свое восхищение. — Трент кивнул, указывая на ее рабочее место, где лежали изделия, находящиеся на разной стадии завершения. Он подошел и принялся разглядывать последний заказ — юбку для миссис Резерфорд. На ткани красовались тигровые лилии. Рэна расположила их по всей длине юбки — от подола до пояса. На одном из пятнистых лепестков четким курсивом было выведено имя художника: «Эна Р.». Барри уговорил ее расписываться хотя бы так.

«Дорогая, если работа подписана, ее цена удваивается. Все произведения искусства должны носить имя творца», — увещевал ее Барри. Рэна не могла ставить на своих изделиях настоящее имя. Эффект получился бы такой же, как от объявления на первой полосе «Хьюстон хроникл», где был бы указан ее точный адрес.

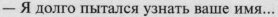

— Я долго пытался узнать ваше имя...

Трент явно не жаловался на зрение и сумел за время визита разглядеть имя соседки. Естественно, он предположил, что «Р» — начальная буква фамилии. Да, в любознательности племянничку Руби не откажешь. Впредь следует держаться от него подальше. Хорошо, что она догадалась снять комнату под именем Эны Рэмси. Если Тренту и его тетушке вздумается обменяться впечатлениями, то никаких расхождений не будет.

Когда Трент вновь повернулся к ней, Рэна попыталась принять равнодушный вид.

— Какое красивое имя — Эна.

Рэна ощутила на себе его изучающий взгляд. Казалось, Трент пытался проникнуть сквозь преграду темных стекол и заглянуть ей прямо в глаза. Взгляд Трента остановился на ее губах, и от этого Рэна, как и раньше, почувствовала легкое головокружение.

— Простите, мистер Гемблин, но я и так потеряла уйму времени.

— Давайте перейдем на «ты» и будем называть друг друга по имени. В конце концов, мы же соседи.

Его лицо осветила улыбка. Как Рэна ни пыталась, она не могла разобраться, что делает Трента столь привлекательным — асимметрично приподнятый уголок губ или небрежно упавшая на лоб прядь волос.

— Как я вам уже сообщила, мистер Гемблин, — подчеркнуто официально сказала Рэна, — я занята.

— А вы слышали поговорку «Сделал дело — гуляй смело»? — Трент стоял широко расставив ноги и чуть покачиваясь. — Так вот, после столь плодотворной работы, — он кивнул в сторону ее изделий, — не сходить ли нам в кино на дневной сеанс? Я приглашаю.

Такого поворота событий Рэна не ожидала.

— Я не могу...

— Клинт Иствуд в главной роли. Он необычайно хорош, не правда ли?

— Да, это так, но...

— Я куплю поп-корн.

— Нет...

— Вы, конечно, предпочитаете поп-корн с двойной порцией масла?

— Да, но...

— А вы не будете против, если во время сеанса я нечаянно положу руку вам на плечо?

— Я...

— Хорошо. Если как следует меня попросите, могу сделать это и не случайно.

— Мистер Гемблин!!! — в отчаянии воскликнула Рэна, не зная, как заставить Трента покончить с этим безобразием.

Сделав глубокий вдох, она выпалила:

— Может быть, вам нечего делать и у вас есть возможность развлекаться весь день напролет, а у меня, в отличие от вас, дел по горло. Прошу вас, уходите.

Трент помрачнел. От легкомысленной улыбки и расслабленной позы не осталось и следа.

— Прошу прощения, мисс Рэмси. Не смею больше вам надоедать.

Сказав это, он двинулся к двери и, открывая, чуть не сорвал ее с петель.

— Спасибо за пластырь, — бросил он через плечо.

— Истеричная дура, — пробормотал Трент, заходя в свою комнату, которая все еще выглядела так, как будто по ней пронесся смерч. — Взбалмошная, самодовольная идиотка! — Он захлопнул дверь с такой силой, что задрожали стекла, надеясь, что у соседки упадет и разобьется одна из многочисленных баночек с краской. — Да кому ты нужна! — Трент продолжал кипеть от злости.

Кем она себя возомнила, что позволяет себе обращаться с ним как с нашкодившим маль-

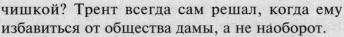

чишкой? Трент всегда сам решал, когда ему избавиться от общества дамы, а не наоборот.

— «Мистер Гемблин, мистер Гемблин!» — повторял он, передразнивая обидчицу.

Черт возьми! Мало того, что он находится в добровольном заточении. Теперь выясняется, что все это время ему придется жить по соседству с монашкой!

— Голову даю на отсечение — она чуть не рухнула в обморок, когда я предложил ей пойти в кино!

И тут его осенило: мисс Рэмси — всего-навсего несчастная некрасивая женщина. Вряд ли она вообще догадывается о существовании страсти. Судя по всему, личной жизни у нее никакой.

И тут на горизонте появляется настоящий мужчина. «Красивый, как Аполлон», — без ложной скромности добавил про себя Трент. Она не знает, как себя вести с ним, а незнание порождает страх. Как же он раньше не догадался? Она бы не защищалась, если бы оставалась к нему равнодушной.

В глазах Трента сверкнул озорной огонек. Мозг активно заработал, создавая план осады. Конечно, перед Трентом стояла задача не из легких. Однако он был рад, что получил столь дерзкий вызов. Наконец-то нашлось дело, которому можно отдаться целиком и полностью. Не изучать же все время, пока он отдыхает, пособие по тактике американского футбола!

Впрочем, истинная причина, которая толкала Трента на завоевание сердца мисс Рэмси, оставалась для него загадкой. Когда Трент ощутил близость ее стройного тела, кровь его закипела, а мгновенно разгоревшееся желание чуть не свело с ума. Кто бы мог подумать, что Трента Гемблина, любимца дам, звезду холостяцких вечеринок, сможет так завести какая-то бесцветная старая дева?

Литературно-художественное издание

Сандра Браун

ТАЙНЫЙ БРАК

Редактор *В. Бологова*
Художественный редактор *Е. Савченко*
Технический редактор *Н. Носова*
Компьютерная верстка *О. Шувалова*
Корректор *Н. Овсяникова*

ЗАО «Издательство «ЭКСМО-Пресс». Изд. лиц. № 065377 от 22.08.97.
125190, Москва, Ленинградский проспект, д. 80, корп. 16, подъезд 3.
Интернет/Home page — www.eksmo.ru
Электронная почта (E-mail) — info@ eksmo.ru

По вопросам размещения рекламы в книгах издательства «ЭКСМО»
обращаться в рекламное агентство «ЭКСМО». Тел. 234-38-00

Книга — почтой: Книжный клуб «ЭКСМО»
101000, Москва, а/я 333. E-mail: bookclub@ eksmo.ru

Оптовая торговля:
109472, Москва, ул. Академика Скрябина, д. 21, этаж 2
Тел./факс: (095) 378-84-74, 378-82-61, 745-89-16
E-mail: reception@eksmo-sale.ru

Мелкооптовая торговля:
117192, Москва, Мичуринский пр-т, д. 12/1
Тел./факс: (095) 932-74-71

ООО «Медиа группа «ЛОГОС». 103051, Москва, Цветной бульвар, 30, стр. 2
Единая справочная служба: (095) 974-21-31. E-mail: mgl@logosgroup.ru
contact@logosgroup.ru

ООО «КИФ «ДАКС». Губернская книжная ярмарка.
М. о. г. Люберцы, ул. Волковская, 67.
т. 554-51-51 доб. 126, 554-30-02 доб. 126.

Книжный магазин издательства «ЭКСМО»
Москва, ул. Маршала Бирюзова, 17 (рядом с м. «Октябрьское Поле»)

Сеть магазинов «Книжный Клуб СНАРК»
представляет самый широкий ассортимент книг
издательства «ЭКСМО».
Информация в Санкт-Петербурге по тел. 050.

Подписано в печать с готовых диапозитивов 15.03.2002.
Формат 84х108 $^1/_{32}$. Гарнитура «Таймс».
Печать офсетная. Усл. печ. л. 16,8. Уч.-изд. л. 9,4.
Тираж 10 000 экз. Зак. № 5218.

Отпечатано в полном соответствии с качеством
предоставленных диапозитивов в Тульской типографии.
300600, г. Тула, пр. Ленина, 109.